# LA MÉMOIRE DES RELIGIONS

## RELIGIONS EN PERSPECTIVE

*Collection dirigée par Henry Pernet, avec la collaboration de Philippe Borgeaud, Christophe Calame, Claude Calame, Richard Friedli, Jacques Hainard, Daniel Pillard et Cristina A. Scherrer-Schaub*

Cette collection est destinée à la publication de textes visant à analyser, à comprendre et à faire comprendre, du point de vue de la science des religions,

— des pensées et des pratiques;
— les représentations qu'une société se fait d'une autre société et les phénomènes d'interaction qui en découlent;
— des phénomènes religieux particuliers, qu'ils se retrouvent dans plusieurs religions ou non;
— des réflexions théoriques ou méthodologiques fondées sur des exemples documentés.

1. C.-A. Keller, *Communication avec l'Ultime*
2. Ph. Borgeaud (éd.), *La mémoire des religions*
3. H. Pernet, *Mirages du masque*

*RELIGIONS EN PERSPECTIVE N°2*

J.-C. Basset, Ph. Borgeaud, D. Bouvier,
C.-A. Keller, J. Rudhardt, C. A. Scherrer-Schaub,
E. Starobinski-Safran, F. Stolz, M. Tardieu

# LA MÉMOIRE DES RELIGIONS

Etudes réunies et éditées par Philippe Borgeaud

LABOR ET FIDES

*Cet ouvrage est publié avec l'aide de l'Académie Suisse des Sciences Humaines que nous remercions vivement de son appui.*

*Photo de couverture:* Détail du buste d'Anytos (titan éducateur) dans le groupe de Lykosoura (œuvre de Damophon, Musée National d'Athènes), reproduit avec l'autorisation du Deutsches Archäologisches Institut

ISBN: 2-8309-0118-5

Si vous souhaitez être tenu au courant de nos publications, il suffit de nous le signaler à notre adresse

## TABLE DES MATIÈRES

PHILIPPE BORGEAUD

# Pour une approche anthropologique de la mémoire religieuse

> *«...Si je sais oublier, murmurais-je. Et ma mémoire a compris, c'est contre sa mort qu'elle se défend. O sa rafale!»*
>
> *(Gustave Roud)*

Partons d'un petit paradoxe. C'est quand on a oublié quelque chose que le problème se pose de savoir comment on aurait pu, ou dû, mémoriser cette chose qui soudain revêt l'apparence d'un manque. L'oubli, alors, n'a plus simplement cette fonction positive et normale d'opérer un choix dans l'infini possible du mémorable, et partant de donner un sens à l'ensemble conservé. L'oubli se fait ressentir, soudain, comme le résultat d'une erreur, d'une perte qui fausse l'organisation de la bonne mémoire. Il existe une proximité essentielle entre la mémoire et le sentiment d'une intégrité. Solidaire de cette intégrité, la mémoire doit opérer les bons choix, veiller (selon certaines procédures) à la transmission des informations constituant un ensemble structuré dont la cohérence est nécessaire au sentiment d'identité du sujet détenteur de cette mémoire. Quand surgit le problème de l'oubli, et son corollaire celui de la mémorisation, c'est que plane l'ombre du mauvais choix, et que règne la crainte d'une rupture possible de l'identité.

On pourrait évoquer quelques réflexions encore récentes pour faire ressortir l'acuité de ce risque. On pourrait analyser, de ce point de vue, ce que Roland Barthes appelait le «vol de langage» (ce mécanisme qui fait qu'un individu se voit privé du sens de sa parole par une instance qui prétend comprendre mieux que lui, et différemment, le sens de ses mots[1]). Le vol de langage est un vol de mémoire, ainsi que Milan Kundera l'a admirablement démontré dans son *Livre du rire et de l'oubli*. La lecture de ce livre a inspiré à Marcel Detienne les lignes suivantes[2]: «L'oubli et la mémoire ont-ils vraiment vécu en parfaite union, aussi naturellement que Philémon et Baucis? Est-ce seulement

[1] Pour une analyse du concept de «vol de langage» dans l'œuvre de Roland Barthes, voir Reichler (1979), pp. 154–155.

[2] Detienne (1981), p. 14.

aujourd'hui qu'est devenue si vive, si présente, *la lutte de la mémoire et de l'oubli,* depuis que sont multipliées les sociétés où les historiens sont enfin devenus des fonctionnaires et des bureaucrates officiels, et où le combat contre le pouvoir, le vrai, le totalitaire, fait se dresser, dans la nuit, des femmes et des hommes, répétant contre tout espoir les paroles de leurs morts privés d'écriture, de la plus matérielle, ou les vers fugitifs mais inoubliables encore des poètes interdits et assassinés?

Il n'y a pas de paradis ni pour la mémoire ni pour l'oubli. Rien que le travail de l'une et de l'autre, et des modes de travail qui ont une histoire. Une histoire à faire».

Ce qui peut se dire au niveau de la personne se vérifie en effet au niveau collectif, celui de l'appartenance à une culture, ou à une civilisation. A la fragilité de toute culture, à sa vulnérabilité, correspond de manière étroite la fragilité d'une mémoire partagée. Consciente de cette fragilité, chaque société, tant qu'elle est libre, s'invente des moyens propres de contrôle, sous la forme de certaines institutions préposées à la bonne transmission de sa mémoire. Au cœur de ces institutions, la religion joue un rôle important. Personne ne contestera que la mémoire religieuse, où qu'on la rencontre, a quelque chose à voir avec l'identité d'une civilisation, d'une culture et des individus qui la véhiculent.

Le thème de ce petit ouvrage s'inscrit dans le prolongement de l'appel lancé par Marcel Detienne à analyser les «modes de travail» de la mémoire. Nous réaliserons cet objectif en respectant les limites de nos spécialisations, et en intitulant notre projet: *la mémoire des religions.*

Le choix et la distribution des chapitres répondent à plusieurs critères, sans prétendre, bien sûr, à une quelconque exhaustivité. Il s'agit d'abord de montrer qu'il est possible de réaliser, collectivement, un travail d'histoire des religions qui soit comparatiste sans devenir la simple juxtaposition de contributions indépendantes les unes des autres. La rédaction du livre, où chaque auteur assume la pleine responsabilité de son texte, fut précédée d'une réflexion commune, qui prit la forme d'un colloque organisé à Genève en février 1986. C'est dire que l'élaboration d'une problématique d'ensemble a guidé la mise en forme des différentes «études de terrain» qui constituent les chapitres de ce volume. Ce travail est celui d'un groupe de chercheurs suisses, auquel d'heureuses circonstances ont permi d'associer Michel Tardieu, Directeur d'Etudes à l'Ecole Pratique des Hautes Etudes de Paris. On y verra peut-être le signe que la mise en commun (momentanée) d'une partie de ce qui s'opère, dans ce petit pays, en une étonnante dispersion, pourrait être fructueuse.

Le choix, par ailleurs, obéit à une perspective délibérément historique, et pourrait sembler abstrait à ceux qui ne pensent l'anthropologie qu'en termes d'actualité. Le problème posé, en effet, aurait pu être traité à la manière d'un rapport sur l'état actuel des différentes traditions religieuses. Outre le fait que de tels rapports existent, il s'avère utile, et même salutaire, de maintenir et de souligner le privilège d'un point de vue diachronique sans lequel il serait vain de prétendre à l'intelligence en profondeur de ce qui advient, aujourd'hui, des différentes sources de l'inspiration religieuse. Les statistiques contemporaines, pour ne prendre que deux exemples, ignorent ou marginalisent, fatalement, polythéismes et dualismes, et passent ainsi sous silence quelques-unes des motivations les plus essentielles de notre devenir religieux et culturel.

A l'origine de ce projet comparatiste, le constat d'une diversité: diversité des modes d'acquisition, de conservation et de transmission des savoirs et des pratiques religieuses, selon les temps et selon les lieux, selon les types de traditions religieuses. Donc, en un premier temps, la réflexion porte sur la manière dont une tradition religieuse se comporte comme une tradition, c'est-à-dire comme à la fois un conservatoire de pratiques, de savoir-faire, de croyances, et un instrument de transmission souple, adaptable, dont la sauvegarde est étroitement liée au maintien d'une identité. Considérée sous l'angle du collectif, de la communauté vue à travers le temps, une religion se présente en effet, de quelque type qu'elle soit, sous l'aspect d'une mémoire. D'une génération à l'autre il y a acquisition et transmission, contrôle aussi, d'un savoir, d'une pratique, d'un ensemble d'attitudes, de sentiments, de comportements. Cela soulève un premier ensemble de questions: qu'est-ce qui est véhiculé, selon quels modes, sous la garantie de quelle autorité? Poser ces questions revient à interroger du même coup ce qui, d'une génération à l'autre, varie. Qu'est-ce qui change, quels sont les facteurs de l'oubli, de la transformation? Dans quelle mesure les variations sont-elles conscientes? L'étude consacrée, dans ce livre, à la formation de la plus ancienne mémoire institutionnalisée observable, celle de Sumer et d'Akkad, à l'origine de notre propre pensée[3], montre à l'évidence l'intérêt, toujours actuel, de ces questions.

Ce premier point concerne l'objet (telle ou telle tradition religieuse) observé à distance, et considéré sous l'angle du collectif. Mais l'objet étudié n'est pas dépourvu de conscience. Il faut tenir compte de cette conscience qui peut, selon les cas, être plus ou moins explicitée. D'où une seconde question, qui surgit quand l'histoire des religions rejoint l'histoire des idées: comment, de l'intérieur d'une tradition religieuse, se développe un discours sur la mémoire? Quelles sont les différentes représentations religieuses de la mémoire?

[3] Comme le souligne, récemment, Jean Bottéro (1987), particulièrement pp. 5–16 («Naissance de l'Occident») et pp. 89–112 («De l'aide-mémoire à l'écriture»).

Il existe des représentations, des philosophies, des théologies de la mémoire. L'exemple grec, ici doublement traité, nous provoque par son étrangeté: Mnémosyne, les Muses, surgissent comme des figures religieuses et cultuelles, rattachant le thème de la mémoire à celui de l'inspiration à l'œuvre de l'intérieur, dans le dynamisme même d'une tradition. Cette découverte, à l'aube de notre vision des choses, nous entraîne à interroger d'autres traditions: quelles sont les mythologies ou les philosophies de la mémoire à côté, ou à l'arrière-plan des diverses pratiques religieuses? Ces réflexions des traditions sur elles-mêmes débouchent parfois sur des considérations concernant l'usage individuel de la mémoire. Plusieurs cultures ont théorisé une mémoire injonctive, dont la fonction est de rappeler les préceptes et l'origine. L'apprentissage d'une religion, dans certains cas, débouche sur un usage de la mémoire comme instrument de technique sotériologique. Une technique qui, dans certaines traditions, peut être d'ordre mystique. Aux spéculations grecques sur Mnémosyne et les Muses répondent, dans ce volume, mais sous des modes différents, les discours juifs, chrétiens et musulmans sur la tradition, les réflexions indiennes (hindoues et bouddhistes) sur la mémoire comme mode ou modification de la conscience, la considération manichéenne des lieux (des dépôts, des magasins) d'une mémoire prophétique.

La mémorisation, en tant qu'action destinée à déposer de l'information dans une mémoire, a ceci de particulier qu'elle peut être soit machinale, soit délibérée. C'est par la pratique et l'imitation, la répétition machinale de gestes et de paroles transmis dans le cadre d'une tradition maintenue par un groupe social auquel il a le sentiment d'appartenir, que l'individu mémorise, sans s'en rendre compte, le plus grand nombre des informations nécessaires à son juste comportement social et religieux. Comprise dans ce sens, la mémorisation débouche sur l'acquisition des innombrables modèles d'action, de comportement, de pensée et de sensibilité qui définissent une identité sociale et culturelle. Depuis les textes classiques de Maurice Halbwachs sur la mémoire sociale et de Marcel Mauss sur les techniques du corps jusqu'aux études plus récentes de Leroi-Gourhan sur les chaînes opératoires machinales et d'Erwin Goffman sur les rites d'interaction, ce type d'acquisition mémorielle a fait l'objet de nombreuses enquêtes, qui ne nous retiendront pas ici[4]. Qu'il suffise de souligner qu'à un tel type de mémorisation s'oppose une mémorisation délibérée, dont les techniques deviennent explicites dans certains cas: en particulier quand certains individus, séparés du groupe social habituel auquel ils appartiennent, se trouvent situés momentanément ou périodiquement

[4] Halbwachs (1925); Mauss (1936); Leroi-Gourhan (1965); Goffman (1974).

dans le cadre d'un rituel initiatique ou d'une institution éducatrice. Mais encore convient-il de préciser que tous les membres de la communauté ne sont généralement pas concernés par ces cas extrêmes, et que les sujets de telles expériences n'ont jamais *tout* à mémoriser d'un enseignement mais seulement *quelques* gestes, quelques techniques, quelques récits privilégiés en tant que particulièrement importants: ainsi, dans le domaine du sacré, des formules rituelles, des professions de foi, des chants religieux, des prières et des règles de comportement religieux. La mémorisation délibérée apparaît comme une spécialisation du processus le plus naturel d'acquisition du savoir et des techniques (fussent-elles religieuses): celui que détermine, souvent à l'insu des intéressés, leur appartenance à une tradition.

A cette première distinction, entre mémorisation machinale et mémorisation délibérée, il convient d'ajouter une autre qui ne la recouvre pas mais s'applique à chacun des deux termes: les techniques et pratiques de mémorisation (qu'elles soient machinales ou délibérées) changent en effet selon qu'elles relèvent de l'oralité ou de l'écriture. A la suite des études de Laura Bohannan, E.A. Havelock et de J. Goody force est de constater que la mémoire est organisée différemment selon qu'elle dispose ou non d'archives et de modèles scripturaires[5]; en absence de l'écriture, elle fonctionne sur le régime, non pas de la reproduction exacte, mais de la remémoration générative, alliant répétition à variation. Il serait faux de considérer ce second clivage comme un fait historique. Mémoire de type oral et mémoire déterminée pas l'écriture peuvent très bien coexister dans une même culture, comme le montrent les exemples grecs, judaïques, musulmans et hindous auxquels des chapitres de ce livre sont consacrés, et comme c'est encore très certainement le cas dans nos cultures occidentales contemporaines: l'infaillibilité des ordinateurs ne nous libère ni des rumeurs ni des idéologies.

Dans les sociétés sans écriture, les énigmes, proverbes, mythes, fables et contes relèvent d'une mémoire plus ou moins partagée par l'ensemble de la communauté; on peut, dans ce sens, parler de «mémoire sociale», ou encore de «savoir partagé». La mémorisation, toutefois, est souvent une activité laissée au libre choix des individus, à leurs goûts, affinités ou dons personnels: Junod (1936, p. 159) se souvient, chez les Thongas, d'une femme qui pouvait débiter des énigmes sans arrêt jusque tard dans la nuit. Quant aux conteurs, il en rencontra de tout âge et appartenant aux deux sexes: «Tel narrateur ne connaît qu'un seul conte, et le répète à chaque occasion, comme Jim Tandane, qui racontait l'histoire d'un ogre, Nwatlakoulalambibi, avec un tel enthousiasme

[5] Bohannan (1952); Havelock (1963); Goody (1977a, 1977b).

qu'on le surnommait du nom de son héros! Mais d'autres peuvent narrer six, dix ou vingt contes».

Dans certaines sociétés (en particulier amérindiennes du Nord), la connaissance et la possession d'un mythe ou d'un chant peut être réservée à un individu, seul habilité à le prononcer. C'est ainsi qu'un Navaho du Nouveau Mexique peut donner pour signe de sa pauvreté qu'il ne possède pas un seul chant. Il s'agit alors d'une «propriété» qui concerne sa propre identité sociale et spirituelle.[6]

Le plus souvent, au contraire, c'est parce qu'ils sont d'un intérêt collectif important que certains récits sont confiés à la mémoire vigilante d'une ou quelques personnes. Des institutions, fréquemment religieuses, prennent alors en charge le devoir de mémorisation. Ces institutions, généralement, sont contrôlées par une élite sociale proche du pouvoir. Au Rwanda, par exemple, la tradition orale de l'*ubwiiru*, où sont décrits les rites que doit accomplir le roi, était divisée en 18 rituels gardés rigoureusement secrets: «Les fonctionnaires chargés de le retenir et de le répéter mot à mot – les erreurs pouvaient être punies de mort – étaient les plus importants dignitaires du royaume et les trois principaux d'entre eux, les seuls à connaître le texte dans son intégralité, participaient du caractère sacré de la royauté» (Smith 1970, pp. 1385 sq.). De tels «spécialistes de la mémoire» apparaissent partout où une communauté exprime sous forme narrative le besoin de préserver son identité.[7] En Océanie, les experts de la tradition orale, les «détenteurs de la mémoire», étaient réunis en collèges analogues à des confréries religieuses. Les plus célèbres, que Victor Segalen mit en scène dans *Les Immémoriaux* (1907), furent les *harepo* de Tahiti («les promeneurs de nuit»), gardiens des généalogies, des mythes, des épopées: «Ces déclamateurs étaient pourvus d'une véritable charge, mais n'accédaient à celle-ci que par un sérieux examen, composé d'épreuves difficiles. La moindre faute de mémoire suffisait à éliminer le candidat, dont la formation était assurée par des prêtres. Les *harepo* s'exerçaient, dit-on, au cours de longues promenades nocturnes, dans la solitude absolue. La transmission du savoir ancestral reposait sur eux. Tout un rituel religieux était lié aux manifestations de ces récitants publics...[8]». Dans l'île de Pâques, les *rongorongo*, de familles nobles souvent apparentées au roi, enseignaient chants et traditions orales dans des huttes spéciales: «La mémoire des étudiants était parfaitement entraînée. Pendant les premières années d'école, ils devaient apprendre par cœur des psalmodies qu'ils récitaient tout en exécutant des jeux de

[6] Bouteiller (1955); Lowie (1961), pp. 224–232.
[7] Chadwick (1968); Vansina (1961); Finnegan (1977).
[8] O'Reilly et Poirier (1956), pp. 1469–1470. Cf. Best (1923); Henry (1928).

ficelle: chaque figure... correspondait à un chant récitatif...» (Métraux 1941, p. 168).

Chez les Incas,[9] les *amautas* (à qui l'on confiait l'éducation de la noblesse) étaient de souche aristocratique. L'instruction chez eux durait quatre ans. La première année était réservée à l'enseignement de la langue (quechua); la seconde à celui des traditions religieuses; la troisième et la quatrième à l'apprentissage des *quipu* (les fameuses cordelettes à nœuds).

La mémorisation, telle qu'elle est pratiquée par ces spécialistes, devient une technique qu'on peut enseigner et qui possède ses outils: l'usage péruvien des *quipu*, celui des bois gravés (les *kou-hau*) de l'île de Pâques, dont la science était réservée aux *rongorongo*, celui des *to'o* (écheveaux en fibre de noix de coco pourvus de nœuds) dans les îles Marquises, de même que les tablettes de bois des Indiens Cuna de Panama ou les pièces d'écorce des Indiens Ojibway d'Amérique du Nord, ne constituent pas à proprement parler des systèmes d'écriture, mais représentent des moyens mnémotechniques relevant d'une mémoire de l'oralité. Il en va de même, encore, de certains systèmes de notation pictographique, tels les idéogrammes aztèques: les «écrivains» aztèques mettaient en place, pictographiquement, un dispositif mnémonique auquel l'historien postérieur pouvait se référer, mais à la condition de faire appel simultanément à une tradition purement orale, celle des chants.[10] Car il ne s'agissait pas d'un système de notation suffisant à la conservation globale de l'information. Il était nécessaire, conjointement, d'avoir recours à la mémoire transmise de bouche à oreille, à travers les chants traditionnels. La situation, *mutatis mutandis*, est analogue à celle des premiers temps de l'Islam quand, pour lire le Coran, il fallait déjà le connaître, l'écriture étant encore trop rudimentaire pour servir de véhicule unique à la transmission.[11]

Dans une culture de l'oralité la mémorisation, nonobstant l'usage de certaines techniques mnémoniques, reste étroitement solidaire des conditions de la «performance». Entre l'écoute et la répétition, l'absence de tout modèle fixe ne saurait assurer la reproduction d'un mot à mot. La variabilité est inévitable alors même que les transformations, d'un locuteur à l'autre, passent le plus souvent inaperçues. Il n'existe pas de version originale que les autres versions reproduiraient, ou dont elles s'éloigneraient. Cl. Lévi-Strauss suggère qu'il existe, toutefois, un modèle logique, conditionné par des lois de transformation; si sa fidélité ne répond pas aux exigences de

[9] Locke (1923); Karsten (1949).
[10] Léon-Portilla (1963), pp. 156–157.
[11] Crapon de Caprona (1981), pp. 147–162.

l'adéquation à un original (un «texte»), la mémoire sociale, celle des mythes, n'est pas pour autant vouée à l'arbitraire. Sa souplesse, son adaptabilité respectent certains conditionnements formels. «Ainsi compris, relève Dan Sperber (1982, p. 115), les faits que Lévi-Strauss a mis en évidence, ces singulières correspondances et régularités, présentent des propriétés idéales pour la pensée sauvage et plus particulièrement... pour le stockage et la récupération d'informations en l'absence de cette mémoire externe que fournit l'écriture. C'est donc bien la pensée humaine elle-même, dans certains de ses aspects les plus mal connus, que l'étude des mythes peut éclairer». Ces règles de transformation, pour logiques qu'elles soient et aptes à nous éclairer sur le fonctionnement de l'esprit humain, ne sont pas incompatibles avec des mobiles triviaux; témoin ce que Edmund Leach rapporte des Kachin de Birmanie: «les Kachin racontent leurs mythes traditionnels en certaines occasions bien précises, afin de justifier une querelle, de valider une coutume sociale, d'accompagner une célébration religieuse. C'est donc dans un but précis qu'on raconte une histoire: elle permet de légitimer le statut de l'individu qui la raconte, ou plutôt de l'individu qui engage un barde pour raconter l'histoire car chez les Kachin raconter des histoires est un métier réservé aux prêtres et bardes de différents grades (jaïwa, dumsa, laïka). Mais en légitimant le statut d'un individu, on dénigre presque toujours le statut de quelqu'un d'autre. On pourrait presque en déduire a priori que chaque conte traditionnel existe en plusieurs versions, chacune tendant à corroborer les prétentions des parties intéressées» (Leach 1972, p. 305). Ce qui revient à dire que le prêtre barde adapte ses histoires en fonction des auditeurs qui l'ont engagé (p. 306). L'horizon d'attente, la «réception», apparaît comme une donnée constitutive de la mémoire orale; une donnée qui conditionne les notions mêmes de fidélité et de vérité.

Romila Thapar, dans un article récent (1984), a analysé les mécanismes de transformation de certains mythes d'origine ainsi que des généalogies liées, en Inde du Nord, à la fonction guerrière. Il ressort de son étude que les mythes de filiation, comme on pouvait s'y attendre, «tendent généralement à légitimer à la fois la famille et le territoire sur lequel elle exerce son contrôle». A quel moment, dans quelles circonstances de tels mythes fondateurs apparaissent-ils? L'auteur répond: «A l'origine de ces démarches de validation, on trouve fréquemment la rupture historique que représente la création d'un nouvel Etat, qu'il s'agisse, dans les régions qui en étaient dépourvues, de son apparition même, ou bien d'une reconstruction sur les ruines de monarchies antérieures plus importantes». On comprend dès lors que les généalogistes, les bardes ou *charan* détenteurs de la mémoire orale, se voient «dotés dans ces régions d'une autorité intangible susceptible d'ébranler la légitimité d'une famille».

La mémoire orale n'aime pas l'écriture; nous en avons de nombreux exemples. Ce n'est pas simplement parce qu'elle se rend compte que l'écriture peut la mettre en contradiction avec elle-même; c'est d'abord parce que le statut de la vérité, de part et d'autre, est différent. Pour mieux comprendre ce phénomène, il convient de se tourner vers quelques cultures où les deux types de mémoire coexistent. Vers les Celtes d'abord, chez qui les spécialistes du sacré, les Druides, tiennent des écoles.[12] On y apprend, essentiellement, à mémoriser. Selon un traité juridique irlandais médiéval, *l'ollamh* (le savant du plus haut niveau) était considéré à l'égal d'un roi; il savait réciter 350 histoires (250 grandes et 100 petites); pour la dignité *d'oblaire file* de dixième rang, qui se contente des bas morceaux au festin et d'une escorte très réduite, 7 histoires suffisent. Les Druides, qui étaient précisément ceux qui, parmi les Celtes, connaissaient l'écriture, refusaient de s'en servir pour les choses religieuses. «On dit, rapporte César, qu'ils apprennent par cœur un très grand nombre de vers: certains restent donc 20 ans à leur école. Ils sont d'avis que la religion interdit de confier cela à l'écriture comme on peut le faire pour tout le reste, comptes publics et privés, dans lesquels ils se servent de l'alphabet grec. Il me semble qu'ils ont établi cet usage pour deux raisons, parce qu'ils ne veulent ni que leur doctrine se répande dans le peuple, ni que ceux qui apprennent, se fiant sur l'écriture, négligent leur mémoire, puisqu'il arrive le plus souvent que l'aide des textes a pour effet de diminuer l'application à apprendre par cœur et d'affaiblir la mémoire...»:[13] G. Dumézil commente ce témoignage de la manière suivante: «... A chaque génération, en chaque étudiant, le savoir se réincarne, il n'est pas reçu comme un dépôt, il revêt une forme qui, tout en lui laissant son sens et ses traits essentiels, le rajeunit et dans une certaine mesure l'actualise...».[14] C'est ce caractère dynamique et flexible, adaptable, de la mémoire orale que l'écriture vient menacer. Cela ressort aussi de témoignages récents, comme celui d'un habitant de la Nouvelle Guinée (Humbold-bay) qui affirme à l'ethnologue: «In putting down our myths and legislative rules in writing you just kill them». Selon F.C. Kamma (1975) «he meant to say: to fixate or stabilize a progressing living reality means to cut it off from accompanying the living community».

[12] Le Roux et Guyonvarc'h (1982).
[13] César, *La Guerre des Gaules* 6, 13 (trad.)
[14] Dumézil (1940), p. 133.

En Inde, les brahmanes enseignant les Védas sont des spécialistes de la mnémotechnique, alors même que les Védas, depuis longtemps, sont fixés par l'écriture: «Il y a quelque chose de lancinant dans l'apprentissage mnémonique des versets. Les yeux fixés sur l'élève, le maître le gave pour ainsi dire avec une régularité implacable, cependant que l'élève accroupi balance légèrement le corps d'avant en arrière. Quand on a assisté quelques instants aux classes de récitation, on comprend mieux l'hymne du *Rgveda* (VII, 103) où le monotone débit est assimilé au coassement des grenouilles» (Renou 1950, p. 36). Le chapitre 15 du *Rig-Veda-Pratisakhya*, vieux traité phonétique et grammatical, donne une description précise des techniques de mémorisation dans l'enseignement des écoles védiques.[15] Sous la direction d'un maître (*Brahmakârin*) les élèves se réunissent dans un lieu propice; ils se tournent vers l'Est, le Nord ou le Nord-Est. Le maître s'assied face au Sud. Les élèves embrassent les pieds du maître et les placent sur leurs têtes, puis l'invitent à donner sa leçon: «Lis, ô maître!». Le maître répond: «Ôm». «Porte du ciel» pour le maître et l'élève, cette invocation doit toujours être prononcée au début de l'étude et se répéter après chaque interruption de la leçon, c'est-à-dire chaque fois que le maître a répondu à une question. La technique d'apprentissage par cœur consiste d'abord à étudier les règles d'euphonie qui permettent de reconstituer les unités lexicales sous-jacentes au flux du texte récité; on sait que le sanscrit «élimine systématiquement, et suivant des règles très fixes, tous les hiatus qui peuvent se produire en une position quelconque et qu'il écrit en un seul mot les deux ou plusieurs mots ainsi réunis» (Henri 1963, p. 7). La récitation par mots (*padapâtha*) s'oppose ainsi à la récitation continue (*samhitâpâtha*). La mémorisation, en un premier temps, ne porte donc pas sur le texte tel qu'il sera effectivement prononcé, mais sur un texte décomposé, analysé. Si la mémorisation est essentielle, en vue de la récitation rituelle, c'est une mémorisation dont la technique présuppose l'existence d'un support écrit, lui-même condition de la réflexion grammaticale. La leçon terminée, les disciples baisent les pieds du maître et se dispersent.

En Grèce ancienne, Havelock (1963) et Detienne (1981) ont insisté sur la coexistence, jusqu'au temps de Platon, de deux types de mémoire: mémoire de l'écrit et mémoire sociale encore tributaire de l'oralité. Il faut relever, par exemple, que si les dépôts d'archives existent depuis la fin du 5$^{e}$ siècle avant J.-C., les historiens grecs n'eurent jamais l'idée de s'y référer comme à des sources historiques plus fiables que la tradition transmise par les œuvres de leurs prédécesseurs (jaugées en fonction de leur degré de vraisemblance), ou transmise par l'expérience de la vue

[15] Müller (1869), pp. CCXCII-CCXCVIII. Cf. Renou (1957); Malamoud (1985).

(autopsie) ou de l'ouïe (témoignage). Et pourtant, dès environ 470 avant J.-C., chez Pindare et chez Eschyle, apparaît la métaphore qui représente l'activité de la mémoire comme l'inscription, sur les tablettes de l'âme, de ce dont il convient de se souvenir (Nieddu 1984). Et la légende rapporte à peu de temps auparavant l'invention, par le poète Simonide, de l'art de la mémoire, cette technique construite sur une métaphore scripturaire, et qui connaîtra un développement important, à travers la rhétorique romaine (Quintilien) jusqu'à la Renaissance (Yates 1966). Au début du 4ᵉ siècle avant J.-C. Platon se montre préoccupé par les effets négatifs de l'invention de l'écriture sur la mémoire. Et Antisthène d'Athènes recommande d'accorder plus de confiance à la mémoire personnelle qu'à la mémoire externe des annotations écrites. Bien qu'Homère (dont le texte écrit s'apprend par cœur dans les écoles et se voit déclamé, par des spécialistes, lors de fêtes religieuses) apparaisse comme une référence obligée, il n'existe, en Grèce ancienne, aucun texte religieux dont on puisse dire qu'il fasse autorité. Pas plus d'ailleurs qu'il n'existe une classe de spécialistes de la religion, comparables aux pontifes, flamines et autres collèges romains, ou encore aux druides celtes ou aux brahmanes védiques. Essentiellement pluraliste et politique, la religion grecque fut une religion dépourvue de dogmes. Elle obéit à la coutume, qui varie d'une région à l'autre, d'un sanctuaire à l'autre. Il en résulte que son bon usage dépend d'une information plurielle, véhiculée dans une pluralité de cercles plus ou moins vastes: famille, tribu, cité, etc. Si certaines pratiques religieuses (de type mystérique ou divinatoire) sont parfois réservées à quelques familles ou cercles d'initiés (par exemple les Eumolpides et les Céryces, les Iamides etc.) tout Grec, quel que soit son statut social, est capable (plus ou moins adroitement) d'adresser aux dieux une prière et de pratiquer les gestes essentiels du sacrifice. La mémorisation délibérée, ainsi d'ailleurs que l'écriture, n'apparaissent comme pratiques religieuses que dans le cadre de piétés marginales: orphisme, ou pythagorisme.[16]

Dans la tradition judaïque,[17] la mémorisation joue un rôle différent selon que l'on considère la *torah* écrite ou la *torah* orale. La *torah* écrite s'enseigne par la lecture: la transmission du texte, l'enseignement des Ecritures, la lecture publique doivent obligatoirement se faire à partir d'un livre; même si ces activités débouchent sur la mémorisation, et que de nombreux rabbi connaissent l'Ecriture par cœur, il est spécifié que la *torah* écrite ne doit en aucun cas être copiée de mémoire. La *torah* orale, par contre, s'enseigne sur le mode de la répétition faite de

[16] Sur l'ensemble du dossier grec archaïque et classique, voir Simondon (1982).
[17] Gerhardsson (1961).

mémoire, même si des notes écrites peuvent intervenir comme moyens nmémotechniques, et même si dès une époque ancienne la *Michna* puis le *Talmud* sont couchés par écrit. Les maîtres de la *torah* orale, les *tannaim* («enseignants») apparaissent comme des mémoires vivantes, capables de reproduire un nombre impressionnant de traditions. Leur savoir, souvent mécanique et dépourvu de réflexion, était utilisé comme source de références par les rabbi et par les collèges. Un exemple fameux est celui de Natronai b. Habibou (8e siècle) qui émigra en Espagne où il récrivit, de mémoire, un *talmud* complet.

L'importance de la mémorisation, dans l'Islam[18] qui est une religion de la parole autant qu'une religion du Livre, est essentielle dès l'origine. Répétition de la lecture que lui fait, du Livre archétypique, l'Archange Gabriel, les paroles du Prophète, avant que le Coran ne soit mis par écrit, furent transmises oralement par un groupe de compagnons et de grands mémorisateurs. L'écriture, à partir du troisième calife, permit de fixer la tradition mais ne supprima pas le recours à la mémoire. Pour lire le Coran, sous sa forme primitive, il fallait en effet en connaître le contenu (Crapon de Caprona 1981). Plus tard, apprentissage de l'écriture et mémorisation demeurèrent des pratiques solidaires. Les écoles coraniques (*Madrasa*) furent liées à la Mosquée. Les enfants vinrent y apprendre les textes du Coran par cœur, avant même de savoir les lire. On y enseigna aussi les Hadiths, la Tradition garantie par la chaîne des autorités (*isnad*). Cette tradition, avant de se fixer dans des corpus écrits tel celui d'al-Bukhari, fut transmise oralement. Elle offre un ensemble d'informations rapportées aux actes et aux paroles du prophète, qui servent à régler les moindres aspects de la vie quotidienne, sur le plan profane autant que sur le plan religieux. La Tradition se représente le Prophète lui-même, assis dans la Mosquée, enseignant les Hadiths: les assistants répètent trois fois ses paroles, jusqu'à ce qu'ils les sachent par cœur.

Les grandes religions ont toutes connu un temps de la mémorisation; avant que l'écrit ne fixe plus ou moins définitivement le corpus de leur tradition, entre la révélation et l'écriture, il a fallu qu'interviennent des spécialistes de la mémoire: à la période apostolique du Christianisme répondent, par exemple, dans l'Islam le temps qui sépare Mohammed du troisième calife, dans le bouddhisme celui qui va de la prédication en Inde à la rédaction, à Ceylan, du Canon. Cela pour dire que le problème de la transmission mémorielle se pose, de manière exemplaire, dès ces périodes fondatrices. Mais même après la fixation des canons, la question demeure: Qui lit? Qui et que transmet l'écrit? A qui? Que se passe-t-il du côté de ceux qui ne lisent pas? Et surtout, quelle est la part

[18] Robson (1971); Eickelmann (1978); Crapon de Caprona (1981), pp. 147–162.

de ce que l'écriture (et la parole) ne sauraient transmettre: les images, la manipulation de certains objets, des gestes, des attitudes, des comportements, des sentiments? Que se passe-t-il hors de l'écriture? Autant de questions qui se posent à l'horizon de notre débat et qui donneront, espérons-le, son relief à chacune des interventions consacrées, dans ce livre, à des points particuliers d'un dossier immense et encore, pour une bonne part, inexploré.

## Bibliographie


Best, Elsdon. 1923. *The Maori School of Learning*. Wellington: Dominion Museum Monograph 6.

Bohannan, Laura. 1952. A Genealogical Charter. *Africa* 23: 301–315.

Bottéro, Jean. 1987. *Mésopotamie. L'écriture, la raison et les dieux*. Paris: Gallimard.

Bouteiller, Marcelle. 1955. «Littérature indienne d'Amérique du Nord», in *Encyclopédie de la Pléïade. Histoire des littératures,* vol. I. Sous la direction de R. Queneau, pp. 1513–1523. Paris: Gallimard.

Chadwick, Hector Munro and Nora Kershaw. 1968 (1ère éd. 1932–1936–1940). *The Growth of Litterature,* 3 vols. Cambridge: University Press.

Crapon de Caprona, Pierre. 1981. *Le Coran: aux sources de la parole oraculaire*. Paris: Publications orientalistes de France.

Detienne, Marcel. 1981. *L'invention de la mythologie*. Paris: Gallimard.

Dumézil, Georges. 1940. La tradition druidique et l'écriture: le Vivant et le Mort. *Revue de l'histoire des religions* 122: 125–133.

Finnegan, Ruth. 1977. *Oral Poetry, its Nature, Significance and Social Context*. Cambridge: University Press.

Gerhardsson, Birger. 1961. *Memory and Manuscript. Oral Tradition and Written Transmission in Rabbinic Judaism and Early Christianity*. Uppsala: Acta seminarii neotestamentici upsaliensis 22.

Goffman, Erving. 1974. *Les rites d'interaction*. Paris: Les Editions de Minuit.

Goody, Jack. 1977a. *The Domestication of the Savage Mind*. Cambridge: University Press. (trad. française: *La raison graphique,* Paris, Les Editions de Minuit, 1979).

Goody, Jack. 1977b. Mémoire et apprentissage dans les sociétés avec et sans écriture: la transmission du Bagre. *L'Homme* 17: 29–52.

Halbwachs, Maurice. 1925. *Les cadres sociaux de la mémoire*. Paris: F. Alcan.

Havelock, Eric A. 1963. *Preface to Plato*. Cambridge, Mass.: Belknap Press of Harvard University Press.

Henry, T. *Ancient Tahiti, compiled from notes of J.M. Orsmond*. 1928. Honolulu: Bernice Pauahi Bishop Museum Bulletin 48.

Henry, Victor. 1963 (1ère éd. 1902). *Eléments de Sanscrit Classique*. Paris: Adrien-Maisonneuve.

Junod, Henri A. 1936. *Mœurs et coutumes des Bantous,* t. 2 (Vie mentale). Paris: Payot.

Kamma, Freerk C. 1975. *Religious Texts of the Oral Tradition from New-Guinea,* Part A. Leiden: E.J. Brill (Nisaba 3).

Karsten, Rafael. 1949. *A Totalitarian State of the Past: the Civilization of Inca Empire in Ancient Peru*. Helsingfors: Soc. sci. Fenn. Comment human litt. 16,1. (trad. française: *La civilisation de l'Empire Inca,* Paris, Payot, 1957).

Klauser, Th. 1950. Auswendiglernen. *Reallexikon für Antike und Christentum* I: 1030–1039.

Leach, Edmund R. 1972. *Les systèmes politiques des hautes terres de Birmanie, analyse des structures sociales kachin*. Paris: Maspéro.
Le Goff, Jacques. 1979. Memoria. *Enciclopedia Einaudi* vol. 8: 1068–1109.
León-Portilla, Miguel. 1963. *Aztec Thought and Culture*. University of Oklahoma Press.
Leroi-Gourhan, André. 1965. *Le geste et la parole*, t. 2 (La mémoire et les rythmes). Paris: Albin Michel.
Le Roux, Françoise et Christian-J. Guyonvarc'h. 1982 (3e éd.). *Les Druides*. Rennes: Ogam-Celticum.
Locke, L. Leland. 1923. *The Ancient Quipu or Peruvian Knot-Record*. New York: The American Museum of Natural History.
Lowie, Robert. 1961. *Primitive Society*. New York: Harper.
Malamoud, Charles. 1985. «Hiérarchie et technique. Observations sur l'écrit et l'oral dans l'Inde brahmanique», in *Histoire et linguistique. Actes de la table ronde «Langage et société» (avril 1983)*. Edité par P. Achard, M.-P. Gruenais et D. Jaulin, pp. 115–122. Paris: Maison des sciences de l'homme.
Mauss, Marcel. 1936. Les techniques du corps. *Journal de psychologie* 32: 271–293. Repris dans Mauss, Marcel. 1950. *Sociologie et anthropologie*. Paris: PUF.
Métraux, Alfred. 1941. *L'île de Pâques*. Paris: Gallimard.
Müller, Friedrich Maximilian (dit Max). 1869. *Rig-Veda-Pratisakhya, das älteste Lehrbuch der vedischen Phonetik. Sanskrittext mit Übersetzung und Anmerkungen*. Leipzig.
Nieddu, G.F. 1984. La metafora della memoria come scrittura e l'imagine dell'animo come *deltos*. *Quaderni di storia* 19: 213–219.
O'Reilly, Patrick et Jean Poirier. 1956. «Littératures océaniennes», in *Encyclopédie de la Pléïade. Histoire des littératures*, vol. I. Sous la direction de R. Queneau, pp. 1461–1492. Paris: Gallimard.
Reichler, Claude. 1979. *La diabolie. La séduction, la renardie, l'écriture*. Paris: Les Editions de Minuit.
Renou, Louis. 1950. *Sanscrit et culture*. Paris: Payot.
Renou, Louis. 1957. *Les écoles védiques et la formation du Véda*. Paris: Cahiers de la Société asiatique 9.
Robson, J. 1971. Hadīṭḥ. *Encyclopédie de l'Islam* 3: 24–30.
Segalen, Victor. 1956. *Les immémoriaux*. Paris: Plon.
Simondon, Michèle. 1982. *La mémoire et l'oubli dans la pensée grecque jusqu'à la fin du 5e siècle avant J.-C.: psychologie archaïque, mythes et doctrines*. Paris: Les Belles Lettres.
Smith, Pierre. 1970. «La lance d'une jeune fille (mythe et poésie au Rwanda)», in *Echanges et communications. Mélanges Claude Lévi-Strauss* t. II, pp. 1381–1408. The Hague-Paris: Mouton.
Thapar, Romila. 1984. Légitimation politique et filiation: le varna kshatriya en Inde du Nord. *Annales ESC* 39: 783–797.
Vansina, Jan. 1961. *De la tradition orale: essai de méthode historique*. Annales du Musée Royal de l'Afrique Centrale.
Yates, Frances. 1966. *The Art of Memory*. Chicago: University Press.

FRITZ STOLZ

# Tradition orale et tradition écrite dans les religions de la Mésopotamie antique

## *I*

L'origine du mythe et de la prière, formes élémentaires de la mémoire religieuse, se trouve dans le langage parlé. Le mythe apparaît comme la mise en récit des forces qui ordonnent le destin de l'homme; en écoutant le mythe, l'homme peut faire sienne l'orientation que ces forces lui proposent[1]. Quant à la prière, elle s'adresse à ces mêmes forces pour différentes raisons: en les louant – soit par gratitude, soit par souci de les renforcer (la distinction entre ces deux pôles n'est pas toujours très claire); ou, en cas de maladie et de malheur, en déplorant leur défaillance et en évoquant le retour d'un ordre protecteur de la vie[2]. En tout cas, le mythe et la prière sont destinés à être utilisés dans le culte (au sens le plus large du terme). Leur fonction est de fixer de manière immédiate l'orientation religieuse. En écoutant le mythe, l'auditeur s'identifie aux mouvements du récit et, par conséquent, se soumet aux impératifs de ses normes et de ses valeurs. La prière, elle, est expression d'un bénéfice ou d'un déficit perturbant par rapport à l'ordre de la vie. Les tensions psychiques, positives ou négatives, s'expriment alors verbalement: sur le plan psychologique, la prière vise ainsi à maîtriser un déséquilibre.

Les fonctions primaires du mythe et de la prière ne s'accomplissent qu'au moyen du langage parlé. Cependant, les «religions mortes» nous ont laissé des mythes et des prières écrits. L'écriture, à l'origine, est destinée à transmettre des compositions vouées à un usage oral. Quelles sont les modifications qu'elle fait subir aux mythes et aux prières par rapport à leurs fonctions et à leurs tendances propres, et quelles en sont les raisons?

Il va de soi que, dans les différentes cultures anciennes faisant usage de l'écriture, cette transition de la tradition orale à la tradition écrite

[1] Je suppose une définition très large du mythe comme «récit traditionnel»; voir Kirk (1978); Burkert (1979).

[2] Louange et plainte sont considérées comme genres complémentaires du point de vue du mythe; le genre du récit est précisé par les genres du discours affectif.

s'est produite dans des conditions très spécifiques[3]. La question a été discutée dans le champ de l'étude de l'Ancien Testament, sans grande unanimité[4]. A mon avis, la différence entre les deux modes de tradition est très importante. Les contes du Pentateuque, par exemple, ne sont que des abrégés minimaux de modèles oraux[5]; mais ils sont composés dans un contexte quasi théologique, où se manifeste une forte volonté de réflexion. Les concepts religieux qui nous paraissent les plus caractéristiques de l'Ancien Testament sont directement liés à cette nouvelle interprétation écrite de la tradition.

## *II*

En ce qui concerne la Mésopotamie, le problème du mode de transmission n'a jamais été discuté dans son ensemble jusqu'à présent. En 1972, Bendt Alster publiait une étude intitulée «Dumuzi's Dream. Aspects of Oral Poetry in a Sumerian Myth». Ce livre ne traite pas du seul mythe de Dumuzi, considéré comme modèle d'une grande partie de la littérature sumérienne. Alster fait usage des méthodes et des résultats de la recherche homérique en les extrapolant au domaine des mythes sumériens[6]. En bref, Alster constate que le «Dumuzi's Dream» est construit en un langage fortement stéréotypé. Ce sont des formules et des expressions succintes, qui servent d'aide mémoire en vue de récitations très longues, analogues aux épopées homériques. Il ne s'agit pas de les apprendre par cœur au sens strict du terme, mais de recréer un poème épique selon des règles traditionnelles, à l'aide de formules et de tournures données. C'est pourquoi les versions textuelles diffèrent parfois beaucoup les unes des autres.

Les mythes sumériens sont devenus de la matière scolaire; les élèves de l'*e-dub-ba,* la «maison des tables»[7], ont dû reproduire non seulement ce type de littérature orale, mais aussi d'autres genres comme des proverbes et des hymnes. Toutes ces compositions se sont vu attribuer de nouvelles fonctions: en premier lieu elles sont destinées à

[3] Cf. Goody (1981), en particulier pp. 1–127. Cet ouvrage concerne en premier lieu des cultures modernes apprenant l'usage de l'écriture, mais les rapports aux cultures anciennes sont éclatants.

[4] La formation de l'Ancien Testament d'après le modèle de la tradition orale a été élaborée par la recherche scandinave; un point de vue contraire domine la plupart des travaux de langue allemande. Voir Knight (1973).

[5] Cf. Wilcoxen (1974), p. 64f., qui s'oppose avec raison aux opinions généralement défendues.

[6] Alster (1972), pp. 19s. – Voir aussi Afanasjeva (1974); Alster (1975), pp. 17ss.; 80s.; Krecher (1978), pp. 133ss.; Millar (1980); Jacobsen (1982).

[7] Pour une description de l'école sumérienne voir Kramer (1957), pp. 41ss.; Sjöberg (1975).

être employées comme matériel d'exercice pour l'enseignement de l'écriture; en second lieu elles véhiculent un ensemble de connaissances qu'assimilent les élèves destinés à former l'élite de la société.

L'art, la technique et le style des mythes ont-ils beaucoup changé au cours de la tradition écrite? A cette question, Alster répond par la négative. Il suppose que la littérature sumérienne demeure fondamentalement une littérature orale, tandis que la littérature akkadienne, telle qu'elle nous est parvenue, serait plutôt de caractère écrit[8].

Deux points sont à souligner. Premièrement, du fait de sa structure agglutinante, la langue sumérienne a tendance à user de tournures fixes et de formules stéréotypées. Alster en est bien conscient[9]. Deuxièmement, il me semble qu'Alster sous-estime de beaucoup la continuité de la littérature sumérienne et de la littérature akkadienne: il existe des sujets littéraires traités aussi bien en sumérien qu'en akkadien (tel le thème de Gilgamesh) et nous constatons la présence de traductions littérales (telle la douzième tablette de l'épopée de Gilgamesh), parfois interlinéaires. A mon avis, la transformation du caractère littéraire ne correspond pas en premier lieu à la transition d'une langue à l'autre. En outre, dès ses origines, la culture mésopotamienne est une culture bilingue. Bien que la différence structurelle entre les deux langues soit extrêmement importante par rapport à l'ordre intellectuel[10], il n'y a pas de rupture dans la tradition des textes et des thèmes religieux. La tradition orale a probablement subi des modifications au fur et à mesure qu'elle a été influencée par l'écriture et par l'institution qui en était la détentrice, c'est-à-dire l'école. Pour évaluer la contribution de l'écriture aux modifications de la tradition, il convient donc de rechercher des indices qui relèvent exclusivement de cette institution et de ses modes de pensée.

## *III*

Parmi les genres littéraires de l'école sumérienne et babylonienne, il en est un dont l'apparition est presque contemporaine de l'invention de l'écriture: la liste[11]. La liste est tout d'abord un inventaire de signes et de mots, instrument nécessaire pour apprendre l'usage difficile de

[8] Alster (1972), p. 27.
[9] Alster (1972), p. 24.
[10] Von Soden (1936) et (1960).
[11] Pour la fonction des listes en général voir von Soden (1936), pp. 28ss.; Oppenheim (1964), pp. 249ss.

l'écriture cunéiforme[12]. Egalement, la liste devient un inventaire de choses de même affinité; il existe des listes de mots composés d'un élément constant et d'éléments variables; des listes de paradigmes grammaticaux qui varient selon les compositions verbales ou nominales; des listes bilingues qui donnent une traduction akkadienne à toutes sortes de listes sumériennes, donc des dictionnaires et des grammaires partiels, etc. A côté de ces listes dont la structure est d'abord constituée par des raisons d'ordre linguistique, il en existe d'autres qui établissent des relations sur le plan de la géographie, de l'économie, de la biologie ainsi que d'autres secteurs du monde réel[13].

Notre attention sera spécialement retenue par les listes de dieux[14] qui apparaissent dès l'époque dynastique ancienne; les premiers exemples (de Fara/Shuruppak) datent du milieu du troisième millénaire environ. L'ordre des dieux est déterminé selon les deux principes concurrentiels mentionnés plus haut: d'une part, certaines listes suivent un schéma linguistique; d'autre part, les dieux se rangent dans un ordre social comparable à celui du monde humain.

Les listes sont donc basées sur l'écriture, sur le caractère particulier du sumérien et sur le bilinguisme de la Mésopotamie. On y constate des classifications de langue et de pensée dans différents secteurs de la réalité: dans le domaine de l'agriculture, dans celui du monde animal et dans celui des dieux.

Considérons maintenant la fonction des listes de dieux de plus près. Le rôle attribué à un dieu dans un mythe diffère profondément de celui qu'on lui attribue dans une liste. Dans le mythe, les dieux s'ordonnent en deux sortes de relations. Il s'agit d'une part de relations de structure sociale, surtout de parenté. Les dieux sont mariés, ils sont frères et sœurs, pères et fils, mères et filles. Ces relations sont parfois «irrégulières» du point de vue humain; il y a des mariages incestueux, des combats entre parents et enfants, etc., ce qui n'est pas étonnant pour le comparatiste[15]. D'autre part, il s'agit de relations de transformation: les dieux sont engagés dans une série d'événements qui d'ordinaire représentent un conflit et sa résolution. Ces deux sortes de relations contribuent au processus d'identification visé par le mythe; je renvoie ici à mes remarques préliminaires. Même si le mythe n'exprime pas seulement l'ordre réel du monde, mais aussi des types d'irréalité

[12] L'enseignement de l'écriture à l'aide de la liste comprend un aspect oral; cf. Civil (1975). Il ne faut donc pas séparer trop strictement la tradition orale de l'écriture.

[13] Présentation des textes et de la littérature secondaire par Cavigneaux (1983).

[14] Cf. Lambert (1983).

[15] Les mythes n'ont pas seulement pour fonction de confirmer la réalité mais aussi de la contredire – connaissance acquise par le structuralisme. Voir par exemple Lévi-Strauss (1959).

(exprimés par exemple par des mariages et des comportements peu appropriés à des êtres divins), il souligne l'affinité entre les dieux et les hommes, une affinité qui rend possible l'identification. L'auditeur du récit mythique partage les mouvements des acteurs sur le plan divin. L'orientation donnée par le mythe est ainsi manifestée à travers une tension émotive qui efface toute distance.

Dans les listes, les dieux se trouvent éloignés du contexte qui est le leur du point de vue du langage mythique (et, de même, des contextes rituels les plus fondamentaux): ils se situent dans un ordre nouveau, tout à fait artificiel.

Il faut donc distinguer les deux principes selon lesquels les dieux sont sériés. L'ordre lexicographique est construit par analogie aux listes lexicales commençant par le même signe. Le fait que les noms divins sumériens sont souvent composés à partir d'éléments initiaux nin- et en- facilite un tel classement[16].

L'autre ordre mentionné est plus intéressant. La liste n° 1 de Fara, déjà, commence par An (?), Enlil, Inanna et Enki[17], qui ne sont jamais acteurs d'un seul et même mythe[18]; mais, d'après de nombreux textes d'époques plus récentes, ils sont considérés comme les divinités les plus importantes; An et Enlil passent pour dieux suprêmes du panthéon sumérien tout entier[19].

La liste débute donc par quelques lignes disposées selon un ordre hiérarchique; ensuite, c'est un ordre linguistique qui prédomine. Plus de 500 dieux apparaissent, parmi lesquels un grand nombre nous demeure inconnu.

Les listes d'époques plus récentes révèlent que l'évolution se fait dans le sens d'une explicitation de l'ordre hiérarchique. Un exemple appartenant à la phase paléo-babylonienne[20] montre une tendance à grouper les divinités autour de quelques dieux principaux, sans pour autant que cette règle soit suivie systématiquement. Cela est le cas dans la grande liste AN = *Anum*[21]; l'organisation du panthéon y est

[16] Parmi les listes de Fara (les plus anciennes dont nous avons connaissance), cf. n° 1, I, 11ff.: plus de 6 colonnes avec des noms composés avec nin-; Deimel (1923).

[17] Deimel (1923), n° 1 I, 1ff.

[18] Pourtant cf. la construction cosmologique des lignes 10ss. de «Gilgamesh, Enkidu et l'arbre *huluppu*» (Kramer, 1938) reflétant avec la séquence «An, Enlil, Ereskigal» de telles séries.

[19] Surtout dans les hymnes, An et Enlil représentent l'autorité suprême qui est responsable même d'événements d'une apparence chaotique. Bernhardt-Kramer (1959/60), pp. 251s., n. 3 ont créé le terme de la «binité d'An et d'Enlil».

[20] Weidner (1924/25).

[21] Zimmern (1910); une nouvelle édition est en préparation.

structurée par les huit grands dieux Anu, Enlil, Belit-Ile, Ea, Sin, Ishtar, Ninurta et Nergal, qui dominent des divinités mineures similaires à eux.

Ces listes présentent un panthéon dont l'organisation concerne le développement de la civilisation et reflète, sur un vaste horizon, l'ordre cosmique de la Mésopotamie. Elles définissent un univers qui n'est pas conçu comme issu d'un acte politique (comme par exemple le royaume des Pharaons égyptiens résultant de l'union des deux parties du pays, la Haute et la Basse Egypte), mais d'une unité culturelle comparable à celle de la Grèce.

Pour établir l'ordre, les scribes font usage d'une langue, d'une écriture et d'une méthode de cognition adaptées à la description de réalités très diverses. Il s'agit donc d'un immense effort intellectuel destiné à élucider et à comprendre le monde. Sans doute, comme l'a montré Claude Lévi-Strauss, le mythe relève d'une structure intellectuelle et d'une rationalité très claires. Mais il s'agit d'une rationalité implicite et non pas volontaire et consciente, tandis que la rationalité des listes est explicite et délibérée.

L'ordre que la liste établit pour les dieux peut être appliqué aussi bien aux arbres qu'aux bêtes féroces, aux serpents, etc.; il s'agit d'un ordre constitué par un observateur lointain qui dispose les phénomènes méthodiquement, selon son bon vouloir. Il est évident qu'on rencontre ici une forme primitive de science[22].

Il va de soi que l'orientation donnée par la liste n'est pas de caractère affectif, mais purement intellectuel. Ces listes de dieux, expression d'une pensée distancée et réfléchie, annoncent le rôle de la spéculation et de la théologie dans des religions comme le christianisme.

## *IV*

L'influence de la pensée sapientiale et scolaire dont la liste est l'expression la plus claire se retrouve parfois dans les mythes. Cela n'est pas étonnant. L'institution qui a pour charge de transmettre toutes sortes de traditions populaires et culturelles se met à appliquer ses propres principes de classification au matériel de provenance extrascolaire. Cela a lieu déjà à l'époque sumérienne. J'en donne un premier exemple: un mythe dont Inanna est le personnage principal évoque le vol des *«me»*, puissances qui constituent la structure et la force de tout pouvoir naturel et culturel[23]. Les dits *me* se trouvent à Eridu où Enki, dieu de la sagesse et de la magie, a établi son règne. C'est lui qui a créé ces forces qui lui permettent de contrôler la vie du monde

[22] Voir v. Soden (1936).
[23] Edition du texte par G. Farber-Flügge (1973).

sumérien. Jalouse de cette position, Innana décide de voler les *me* à l'aide d'une ruse. Elle rend visite à Enki; victime d'abus de bière autant qu'il est séduit par le charme de la déesse, celui-ci lui offre les *me*. Par la suite, Innana s'embarque et se dirige vers sa cité, Uruk. Ayant recouvré ses esprits, Enki fait poursuivre Inanna, et charge son vizir Isimud de faire appel aux monstres marins pour la saisir. Isimud réussit, quand le vizir d'Innana, le dieu Ninshubur, entre en scène et paralyse ses actions. Le conflit entre Enki et Innana devient celui des deux vizirs qui, chacun, tâche de maîtriser les efforts de l'autre. Finalement, Innana parvient à rentrer chez elle avec les *me*. Elle est accueillie chaleureusement par sa cité, qui désormais va dominer le terrain sumérien.

La structure de ce mythe n'a rien d'extraordinaire. Les récits du type «conflit et poursuite» sont très répandus, aussi bien dans la littérature sumérienne que dans d'autres littératures populaires (par exemple dans le conte de fée russe, comme l'a établi Vladimir Propp[24]. Le conflit entre les deux dieux est analogue à celui qui oppose deux centres culturels et politiques. Certes, plusieurs niveaux de signification interviennent; toutefois, du point de vue qui est le nôtre, l'intérêt prédominant réside dans la description des *me*, c'est-à-dire des éléments formateurs de la vie.

L'auteur du mythe dresse une liste de plus de cent *me*; ceux-ci constituent la structure des institutions politiques et sociales, des arts et des métiers artisanaux, de la musique et des instruments musicaux, des comportements intellectuels et moraux, des coutumes, etc.[25] L'intention de cette énumération est d'enregistrer toutes les forces structurelles du monde – d'une manière analogue aux listes qui tentent d'enregistrer des mots composés d'un élément constant, des formes d'un certain verbe, des phénomènes géographiques, économiques et biologiques, ou des dieux. La liste est donc devenue un élément du mythe.

Quelle est donc la différence entre la fonction originelle du mythe et celle du mythe élargi par la liste? Les mythes primitifs (dont nous connaissons quelques versions d'origine sumérienne) sont relatifs à l'univers et le constituent; mais c'est un univers très limité. Les dieux acteurs représentent des aspects très particuliers du monde social et naturel, même s'il s'agit de grands dieux cosmiques comme Enki, divinité du monde souterrain contenant l'eau douce, maître de la magie

[24] V. Propp (1972). – W. Burkert (1982) a transféré le modèle de Propp au champ des mythes akkadiens.

[25] II, v, 1ff. Naturellement, une grande partie des *me* commence par la syllabe *nam*, formative de l'abstraction.

et d'autres domaines importants[26]. C'est l'ensemble des mythes qui forme l'univers total – sans que cette totalité devienne un sujet explicite[27].

Il découle, de la singularité de tels mythes, que l'orientation qu'ils dessinent ne peut concerner qu'une section plus ou moins grande, mais limitée, du monde; le récit ne tente jamais, en lui-même, de couvrir la réalité entière. La liste, comme élément du mythe, introduit donc un horizon plus vaste et une attitude plus distancée dans l'orientation mythique: le récit se développe en direction de l'expression d'un univers total, et touche toutes les régions de la réalité[28].

Un autre mythe influencé par la science des listes s'appelle «Enki et l'ordre de l'univers»[29]. L'histoire met en scène un type d'action créatrice qui relève particulièrement de ce dieu. Quittant son sanctuaire d'Eridu, celui-ci visite différents pays et centres culturels; il parvient même en des régions très éloignées, comme Dilmun (Bahrein) et Meluhha (probablement une région indienne). Il s'occupe de toutes les forces naturelles (par exemple les grands fleuves et la pluie) ainsi que de la multiplicité des devoirs culturels propres à ces régions fort diverses. A la fin du mythe, Inanna vient se plaindre de n'avoir pas obtenu une fonction satisfaisante; Enki l'apaise en lui accordant une aggressivité irrésistible et une bénédiction dont le sens reste obscur. Le mythe est encadré par la louange d'Enki qui accomplit parfaitement toute son œuvre.

Dans les deux mythes, le terme *me* joue un rôle important. Comme je l'ai expliqué plus haut, il représente un élément qui forme la structure et la force de tout pouvoir naturel et culturel; il convient maintenant de préciser cela. Les traductions et les interprétations des sumérologues sont très diverses. B. Landsberger explique que les différentes qualités de *me* n'autorisent pas une simple traduction par un seul mot[30]: «*me* ist gleichzeitig Macht und Ordnung; das *me* der einzelnen Götter ist nach ihren Funktionen differenziert, es strahlt in mystischer Weise von Göttern und Tempel aus, wird als eine Substanz vorgestellt, durch Embleme symbolisiert, kann von einem Gott auf den anderen übertragen werden...». K. Oberhuber, qui consacra une étude au concept de *me*, le réduit à un «totémisme dynamistique» précédant la

[26] Exemple d'un tel mythe «primitif»: Le mythe de Dilmun. Pour l'interprétation cf. Stolz (1986).

[27] Variation sur l'idée de Lévi-Strauss (1958) selon laquelle un mythe consiste en la totalité de ses versions.

[28] Pour ce développement des compositions mythiques vers un horizon de plus en plus vaste cf. Stolz (1982), pp. 102–105.

[29] Edition et traduction du texte: Bernhardt et Kramer (1959/60).

[30] D'après Oberhuber (1963), p. 3.

religion sumérienne, sans pour autant réussir, en introduisant une inconnue supplémentaire, à éclairer la signification de ce concept. Il faut enfin mentionner deux interprétations, un peu spéculatives. Celle de J. van Dijk d'abord[31]: «On n'ira pas trop loin en concluant que science et sagesse comptent chez les Sumériens parmi les *me*. *me* est le concept central de la religion sumérienne et signifie, autant que le mot se laisse définir, une immanence divine dans la matière morte et vivante, incréée, inchangeable, subsistante, mais impersonnelle, dont seuls les grands dieux disposent». Et celle de R. Jestin[32]: «*me* qualifie le cœur même du courant éternel de la vie, et le mouvement qu'il lui imprime selon un mode de réalisation dont l'aspect le plus accessible est celui de la Nécessité, du Fatum, de la Heimarmene». L'emploi du terme *me* est aussi décrit en détail par G. Farber-Flügge[33], sans qu'elle en donne une interprétation compréhensive, qui lui paraît précoce.

Il est vraisemblable que *me* est en relation avec le verbe *me-en*, «être»[34]; il s'agit donc d'un mot qui signifie à la fois la structure et la force de tout être. *me* est le concept exprimant la conviction que l'essence de toute chose, visible ou invisible, est construite selon le même schéma. Les dieux «collectent» et «mettent en ordre» les *me*, ils diminuent les *me* des ennemis, ils se querellent pour la possession des *me* qui permettent de contrôler les choses. Comme l'ont bien remarqué J. van Dijk et R. Jestin, le concept de *me* suppose une tendance à la généralisation. Son usage permet d'élargir le champ des événements mythiques; c'est exactement ce qui se passe en introduisant le genre de la liste dans le mythe. La coïncidence du thème des *me* et de l'élément de la liste dans les deux mythes que nous venons de lire n'a donc rien d'étonnant.

La science de la liste influence également le mythe le plus connu de la littérature akkadienne: l'*enuma elish*, poème babylonien de la création[35]. On y trouve, au début, le souvenir de la grande liste des dieux AN = *Anum*[36]: avant la naissance des grands dieux du panthéon sumérien, An, Ea et Enlil (ici remplacé par Marduk), on décrit l'apparition de quelques êtres primordiaux qui sont situés entre le désordre absolu et l'ordre cosmique représenté par les dieux (surtout Marduk). Parmi ces êtres primordiaux figurent des éléments de la nature comme Tiamat et Apsu, personnifications de l'eau salée et de l'eau douce, dont la séparation marque le début de l'évolution; ensuite

[31] van Dijk (1952), p. 19.
[32] Jestin (1970), p. 178.
[33] Farber-Flügge (1973), pp. 116ss.
[34] Jacobsen (1946), p. 139, n. 20.
[35] Traduction du texte: Labat (1970), pp. 36ss.
[36] Jacobsen (1976) p. 167 avec n. 327.

Lahmu et Lahamu, des monstres marins terrifiants; enfin Anshar et Kishar, entité d'en haut et entité d'en bas, c'est-à-dire les dimensions de l'espace. Les naissances de ces êtres sont séparées par de grands intervalles de temps se succédant à partir de la séparation initiale de Tiamat et Apsu. Ici, le genre de la liste (en l'occurence celle des dieux AN = *Anum*, qui était déjà une sorte de liste «canonique») sert à définir l'horizon, le plus vaste possible, sur lequel le combat créateur va se produire. Par conséquent l'*enuma elish* est un mythe qui concerne la réalité tout entière, et non seulement un de ses secteurs.

L'influence de la tradition écrite, de la tradition scolaire et de la science des listes sur l'impact du mythe est donc assez remarquable. Le changement de tradition contribue à une généralisation des thèmes visés par les mythes; il prépare l'abstraction dont se servira la philosophie, héritière de la mythologie.

Cette tendance à l'abstraction se confirme dans d'autres domaines traités par la «sagesse», notamment celui des proverbes et des traditions historiques de successions royales. Dans son usage originel le proverbe, élément du langage banal, tente d'intégrer une situation critique au cadre de l'expérience normale. Par conséquent, du vaste trésor des proverbes, un seul d'habitude est extrait, pour illustrer une situation et en tirer un enseignement. En revanche, les collections de proverbes réunissent des dictons destinés à toutes sortes d'événements. Ainsi, nous observons la naissance de systèmes explicites de morale, à fonction soit descriptive soit exhortative[37].

Un dernier effort d'abstraction, relevant de l'effort sapientiel pour comprendre le monde, se manifeste dans les listes de rois[38]. Dès leurs origines, celles-ci n'indiquent pas uniquement la succession à l'intérieur d'une seule dynastie; la grande liste des rois sumériens, par exemple, débute avec l'époque «où la royauté descendit du ciel», pour enregistrer ensuite les dynasties antédiluviennes, et finir par énumérer les rois post-diluviens[39]. Les informations historiques que donnent les premières listes sont très limitées; quelques noms de rois et leurs successions sont sans doute de tradition authentique; mais d'autres renseignements (indications d'âge par exemple) sont purement fictifs. Chose infiniment plus intéressante pour nous, les dynasties sont ajustées les unes aux autres par le biais d'une construction imaginaire donnant, pour toute l'histoire de la Mésopotamie, un cadre historique

[37] Voir Schmid (1966); sur le matériel mésopotamien pp. 85ss. Observations relatives à la systématisation pp. 79ss. (concernant l'Egypte); pp. 141ss. (concernant la Mésopotamie); et pp. 161ss. (concernant Israël).

[38] Edzard et Grayson (1980).

[39] Jacobsen (1939).

reliant le présent à la crise du déluge, fondatrice de la culture. Une fois de plus, la liste contribue à une abstraction et à une généralisation: en l'occurence celles du champ de l'histoire; elle prépare une forme primitive d'historiographie[40].

## *V*

Revenons à la science des listes, et plus particulièrement à la liste bilingue AN = *Anum*[41]. Ses deux colonnes, celle en sumérien et celle en akkadien, ne sont pas équilibrées. Le nombre des dieux sumériens dépasse largement celui des dieux akkadiens. Par conséquent, plusieurs divinités sumériennes sont ramenées à une seule divinité akkadienne. Il en découle que l'on se met à identifier des divinités autrefois séparées. Les Akkadiens ne vénèrent qu'une partie du panthéon sumérien. Mais ce qui, à première vue, semble découler d'un simple manque de correspondants divins, devient un principe de sagesse religieuse. La liste dont il est question contient ce passage[42]:

| | |
|---|---|
| Marduk | est Marduk en vue de la libération du mal |
| Asariluhi | est Marduk en vue de l'exorcisme |
| Asarialim | est Marduk en vue de la vie |
| Enbilulu | est Marduk en vue des canaux |
| Tutu | est Marduk en vue de la maladie sans prière |
| Shazu | est Marduk en vue de la miséricorde |
| Ninurta | est Marduk en vue de la force |
| Nergal | est Marduk en vue de la lutte |
| etc. | |

Divers dieux sont envisagés comme manifestation d'un seul dieu; ils définissent des aspects divins incarnant une fonction particulière. Le système du polythéisme établi par l'ensemble des mythes et des rites, et qui impose un ordre à la pluralité des forces divines, suscite une interprétation nouvelle: dès lors, la pluralité exprime une unité qui, au fond, a toujours été présente mais qui n'est explicitée que maintenant. La pluralité des dieux n'est point rejetée, mais elle est mise en relation avec l'unité des forces divines – connaissance nouvelle d'une science religieuse primitive qui prend distance par rapport à ses objets.

Cette théologie d'identification spéculative exerce son influence sur d'autres genres de la littérature religieuse. J'en signalerai deux exemples: d'abord la fin de l'*enuma elish* où Marduk reçoit 50 épithètes qui, à l'origine, avaient appartenu à d'autres divinités[43]; ensuite, je

[40] Voir van Seters (1983).
[41] Cf. Lambert (1983), pp. 475s.; v. Soden (1936), pp. 442ss.
[42] v. Soden (1960), p. 17.
[43] Böhl (1953).

rappelerai qu'il existe certains hymnes souvent considérés comme témoins d'une tendance monothéiste dans la religion babylonienne[44]. Voici un passage d'un de ces hymnes, adressé à Marduk[45]:

Sin est ta nature divine, Anu ton caractère princier,
Dagan ton caractère seigneurial, Enlil ton caractère royal,
Adad ta puissance, Ea le sage ton intelligence,
Celui qui tient ton stylet, Nabu, ton talent.
Ta primauté est Ninurta, ta force Nergal,
Le conseil de ton cœur est Nusku, ton ministre éminent,
Ta qualité de juge est le brillant Shamash, qui ne suscite pas de querelle...

Le dieu auquel s'adresse la prière n'est pas seulement proclamé dieu suprême (comme c'est le cas dans d'autres prières), mais il se trouve identifié à d'autres dieux. L'unité divine est ici exprimée en identifiant les diverses qualités spirituelles d'un dieu général à d'autant de dieux singuliers et partiels. D'autres hymnes du même type emploient la métaphore du corps (humain ou divin) qui confère l'unité aux divers membres[46].

Il va sans dire que ces hymnes ne sont pas l'expression d'un monothéisme, ni même d'une tendance monothéiste. L'attitude envers le dieu vénéré inclut les autres dieux comme autant de ses aspects; c'est là une attitude quasi philosophique, très éloignée de l'attitude monothéiste qui rejette tout autre dieu[47].

## *VI*

Reconsidérons, sous un dernier angle, les idées discutées jusqu'ici. A l'origine, les mythes et les hymnes cultuels sont rattachés à des sanctuaires; ils sont donc enracinés dans des contextes géographiques particuliers. Leur prise en charge par l'école les affranchit de ces liens locaux; par conséquent, on peut constater une large diffusion des matières d'enseignement dans les milieux scolaires du Proche-Orient, une diffusion qui d'ailleurs ne se limite pas au genre et au contenu scolaires, mais concerne également la langue; à Ebla, ville très ancienne de la Syrie septentrionale, on apprend au troisième millénaire la langue et l'écriture sumériennes et on fait usage, entre autres, de compositions littéraires rédigées dans cette même langue[48]. L'éducation sapientiale

[44] Dernière contribution au problème par Hartmann (1980).
[45] Seux (1976), p. 129s.
[46] Voir l'exemple suivant donné par Seux (1976) sous le titre «hymnes syncrétiques», p. 131ss.
[47] Stolz (1980), p. 150s.
[48] Pettinato (1981), pp. 229–242.

devient donc à un certain degré internationale; ainsi à Tell-el-Amarna, capitale de l'Empire égyptien au quinzième siècle, sous Akhnaton, on lisait le mythe mésopotamien de Nergal et Ereshkigal[49]; et l'épopée de Gilgamesh, originaire d'Uruk, était largement connue de l'Asie Mineure à la Palestine[50]. La fameuse bibliothèque d'Assurbanipal contenait des œuvres littéraires de toutes sortes provenant de plusieurs époques et régions de la Mésopotamie. Il va de soi qu'un mythe, employé hors de son temps et hors de son contexte, change profondément de fonction.

Dans la formation des fonctionnaires de l'appareil administratif et religieux, les mythes (d'origine quelconque) ne constituent qu'un des éléments éducateurs. Cette formation comprend, tout aussi bien, l'acquisition d'hymnes, de listes, de proverbes, de fables et de littérature de tous genres et de tous lieux, sans oublier les opérations mathématiques et l'usage d'instruments musicaux. L'homme est en train de franchir le seuil qui le conduit à un choix individuel de son orientation religieuse et spirituelle[51]. Certes, la religion publique du culte national est obligatoire; mais, en ce qui concerne la sphère privée, l'individualisme religieux devient de plus en plus important[52].

## *VII*

La transition de la tradition orale à la tradition écrite marque, à mon avis, un changement fondamental en ce qui concerne la mémoire de la religion. D'une façon très générale, on peut parler d'une transition de la mémoire inconsciente à la mémoire consciente. L'identification, à laquelle invite le mythe dans la tradition orale, se voit peu à peu remplacée par une contemplation distancée qui permet la réflexion et l'examen de l'interprétation religieuse dans son rapport à la réalité. La prière, jusqu'alors expression de dépendance immédiate par rapport à des forces fatidiques, se transforme en une méditation sur la condition soit divine soit humaine. Dans une terminologie empruntée à Jean Piaget, on pourrait dire que la religion est soumise à un procès de décentration[53]. Ce développement s'effectue graduellement et sans

[49] D'autres versions du mythe ont été trouvées à Sultantepe (Syrie) et à Uruk. Cf. v. Weiher (1971), p. 48.

[50] Schott et v. Soden (1958), pp. 9ss.

[51] C'est la raison pour laquelle se produisent des problèmes d'orientation tels que celui du «juste souffrant», de la théodicée, du scepticisme. Edition de ces textes par Lambert (1960).

[52] Jacobsen (1976), pp. 147ss. et 236ss.

[53] Jusqu'à présent, la psychologie cognitive de J. Piaget n'a pas été prise suffisamment en considération par la science des religions; voir par exemple Oser (1984).

rupture, mais assez clairement. La réflexion, la distanciation, une pensée scientifique primitive, entrent dans le champ de la religion. De telles innovations, cependant, ne constituent pas encore une pensée indépendante de la religion traditionnelle; la philosophie grecque ira beaucoup plus loin.

## Bibliographie


Afansajeva V. 1974. «Mündlich überlieferte Dichtung ("oral poetry") und schriftliche Literatur in Mesopotamien», *Acta Antiqua* 22, pp. 121–135.

Alster B. 1972. *Dumuzi's Dream.* Copenhague: Akademisk Forlag.

Alster B. 1975. *Studies in Sumerian Proverbs.* Copenhague: Akademisk Forlag.

Böhl F.M.Th. de Liagre. 1953. «Die 50 Namen des Marduk», dans: *Opera minora*, pp. 282–312.

Burkert W. 1979. «Mythisches Denken», in: *Philosophie und Mythos.* Herausgegeben von H. Poser, pp. 16–39. Berlin-New York: de Gruyter.

Burkert W. 1982. «Literarische Texte und funktionaler Mythos. Istar und Atrahasis», dans: J. Assmann-W. Burkert-F. Stolz, *Funktionen und Leistungen des Mythos*, pp. 63–82. Göttingen: Vandenhoeck & Ruprecht.

Cavigneaux A. 1983. «Lexikalische Listen», dans: *Reallexikon der Assyriologie* VI, pp. 609–641.

Civil M. 1975. «Lexicography», *Assyriological Studies* 20, pp. 123–136.

Deimel A. 1923. *Schultexte aus Fara.* Leipzig.

van Dijk, J.J.A. 1953. *La sagesse suméro-akkadienne.* Leiden: Brill.

Farber-Flügge G. 1973. *Der Mythos «Inanna und Enki» unter besonderer Berücksichtigung der Liste der me.* Rome: Biblical Institute Press.

Edzard D.O. et A.K. Grayson. 1980. «Königslisten und Chroniken», dans: *Reallexikon der Assyriologie* VI, pp. 77–135.

Goody, J. (éd.). 1981. *Literalität in traditionalen Gesellschaften.*

Hartmann B. 1980. «Monotheismus in Mesopotamien», dans: O. Keel (éd.), *Monotheismus im Alten Israel und seiner Umwelt*, pp. 49–81. Fribourg: Schweiz. kath. Bibelwerk.

Jacobsen Th. 1939. *The sumerian king list.* Chicago: University Press.

Jacobsen Th. 1946. «Sumerian Mythology», réimpression dans: Th. Jacobsen, *Toward the image of Tammuz and other essays (1970).* Cambridge Mass: Harward Univ. Press.

Jacobsen Th. 1976. *The treasures of darkness.* New Haven: Yale University Press.

Jacobsen Th. 1982. «Oral to Written», dans: M.A. Dandamayev – I. Gershevitch – H. Klengel – G. Komoróczy – M.T. Larsen – J.N. Postgate (éds.), *Societies and Languages of the Ancient Near East.* Studies in honour of I.M. Diakonoff, pp. 129–137.

Jestin R. 1970. «La religion sumérienne», dans: H.-C. Puech (éd.), *Histoire des Religions* I, pp. 154–202. Paris: Gallimard.

Kirk G.S. 1978. *Myth. Its meaning and functions in ancient and other societies.* London: Cambridge University Press.

Knight D.A. 1973. *Rediscovering the traditions of Israel. Society of Biblical Literature, Dissertation Series 9.*

Kramer S.N. 1938. *Gilgamesh and the Huluppu-Tree.* Chicago (Assyriological Studies 10).

Kramer S.N. 1957. *L'histoire commence à Sumer.* Paris: Arthaud.

Kramer S.N. et I. Bernhardt. 1959/60. «Enki und die Weltordnung», *Wiss. Zeitschr. d. Friedr. Schiller-Universität Jena* 9, pp. 231–255.

Krecher J. 1978. «Sumerische Literatur», dans: W. Röllig (éd.), *Altorientalische Literaturen* (Neues Handbuch der Literaturwissenschaft I). Wiesbaden.

Labat R. 1970. *Les religions du Proche-Orient asiatique*. Paris: Fayard-Denoël.

Lambert W.G. 1960. *Babylonian wisdom literature*. Oxford: Clarendon Press.

Lambert W.G. 1983. «Götterlisten», dans: *Reallexikon der Assyriologie* VI, pp. 473–479.

Lévi-Strauss C. 1958. «La structure des mythes», dans: *Anthropologie structurale*, chapitre 11. Paris: Plon.

Lévi-Strauss C. 1959. «Le geste d'Asdiwal», réimpression dans: *Les Temps Modernes* 179 (1961), pp. 1080–1123. Paris: Plon.

Millar W. 1980. «Oral Poetry and Dumuzi's Dream», dans: *Scripture in Context: Essays in the Comparative Method*, pp. 27–57.

Oberhuber K. 1963. *Der numinose Begriff ME im Sumerischen*. Innsbruck.

Oppenheim A.L. 1964. *Ancient Mesopotamia*. Chicago: University Press.

Pettinato G. 1979. *The archives of Ebla*. New York: Doubleday.

Seters J. van. 1983. *In search of history. Historiography in the Ancient world and the origins of biblical history*. New Haven: Yale Univ. Press.

Schmid H.H. 1966. *Wesen und Geschichte der Weisheit:* Beihefte zur Zeitschr. für die Alttestament. Wissenschaft 96. Berlin: de Gruyter.

Schott A. et W. v. Soden. 1958. *Das Gilgamesch-Epos*. Stuttgart: Reclam.

Seux M.-J. 1976. *Hymnes et prières aux dieux de Babylonie et d'Assyrie*. Paris: Ed. du Cerf.

Sjöberg Å W. 1975. «The old Babylonian eduba», *Assyriological Studies 20*, pp. 159–179.

Soden W. v. 1936. *Leistung und Grenze sumerischer und babylonischer Wissenschaft*. Réimpression: B. Landsberger, *Die Eigenbegrifflichkeit der babylonischen Welt* et W. v. Soden, *Leistung und Grenze sumerischer und babylonischer Wissenschaft*, 1965, pp. 21ss.

Soden W. v. 1960. *Zweisprachigkeit in der geistigen Kultur Babyloniens* (Oesterreichische Akademie der Wissenschaften, phil.-hist. Klasse, Sitzungsbericht 235).

Stolz F. 1980. «Monotheismus in Israel», dans: O. Keel (éd.) *Monotheismus im Alten Israel und seiner Umwelt*, pp. 143–189. Fribourg: Schweiz. kath. Bibelwerk.

Stolz F. 1982. «Funktionen und Bedeutungsbereiche des ugarithischen Ba'alsmythos», dans: J. Assmann – W. Burkert – F. Stolz, *Funktionen und Leistungen des Mythos*, pp. 83–118. Göttingen: Vandenhoeck & Ruprecht.

Stolz F. 1986. «Das Gleichgewicht von Lebens- und Todeskräften als Kosmos-Konzept Mesopotamiens», dans: M. Svilar (éd.), *Der Mensch und seine Symbole*, pp. 47–67. Berne: Peter Lang.

Weidner E.F. 1924/25. «Altbabylonische Götterlisten», *Archiv für Orientforschung* 2, pp. 1–18; 71–82.

Weiher E. v. 1971. *Der babylonische Gott Nergal*. Kevelaer: Butzon & Bercker.

Wilcoxen J.A. 1974. «Narrative», dans: J.H. Hayes (éd.), *Old Testament form criticism*, pp. 57–98. San Antonio: Trinity University Press.

Zimmern H. 1911. *Zur Herstellung der grossen babylonischen Götterliste AN=Anum*. Leipzig: Sächsischen Akademie der Wissenschaften (Sitzungsberichte/phil.-hist. Klasse 63/IV).

JEAN RUDHARDT

# Mnémosyne et les Muses

Chercher comment rites et croyances se transmettent et évoluent dans la société grecque nous contraint à porter notre attention sur quelques traits essentiels des religions helléniques.

## *I Les fondements de la religion grecque*

Pour les Grecs, la religion ne trouve pas sa source dans l'enseignement indépassable que Dieu lui-même aurait fait connaître aux hommes, dans une suite d'événements composant aujourd'hui un ensemble achevé. Leur religion n'est pas une religion révélée. Ils n'ont point d'écrits comparables à la Bible ou au Coran qui, conservant le récit de ces événements, auraient quant à l'essentiel énoncé pour eux la totalité de la connaissance religieuse accessible à l'homme. Leur religion n'est pas une religion du livre. Quelle est donc à leurs yeux l'origine des croyances auxquelles ils se réfèrent, des rites qu'ils observent, et qu'est-ce qui en garantit la validité?

Evoquant conjointement une attitude, des sentiments et des conduites, le mot grec *eusébeia* correspond assez bien à notre nom «piété». Or ce qui fait l'objet de cette piété, ce ne sont pas seulement les dieux et les morts, ce sont aussi les parents, la famille et la cité[1]. La religion grecque comprend des sentiments, des pensées et des conduites relatifs aux hommes, à leurs institutions communes aussi bien qu'aux dieux. Elle est solidaire de tous les groupements constitutifs de la société civile.

Les rites sont des *nómaia*, des *nómina*, des *nomizómena*, c'est-à-dire des pratiques conformes à une coutume, à une tradition. Le nom *nómos* lui-même peut les désigner. Or tous ces mots s'appliquent généralement aux usages communs, aux mœurs, comme ils le font particulièrement aux actes cultuels.

La croyance n'est pas une foi. Croire ne se dit pas *pisteúein*, comme cela sera le cas chez les auteurs chrétiens, mais *nomízein*. Construit avec une proposition complétive, ce verbe peut signifier «avoir une opinion», «penser quelque chose». Toutefois, apparenté aux mots que nous

[1] Aristote, *Virt. vit.*, 1251a 30.

venons de citer en parlant des rites, il conserve un sens proche du leur en matière de religion. *Nomízein tẽn mantikẽn* c'est tout à la fois recourir à l'art mantique et croire à sa validité[2]. Accusé de ne pas *nomízein* les dieux de la cité, Socrate répond qu'il en célèbre les cultes[3]. Dans les chapitres où il évoque les *nómaia* des Scythes ou des Perses et où il emploie le verbe *nomízein* plusieurs fois, Hérodote mentionne pêle-mêle des pratiques rituelles, des noms de dieux et des croyances[4]. Simplifions les choses: le verbe *nomízein* signifie se conformer à une coutume, dans sa pensée comme dans sa conduite[5].

En matière de religion, la norme est donc en chaque lieu, dans chaque communauté, la règle coutumière ou la tradition. La religion toute entière repose sur une mémoire collective.

La coutume, la tradition ont d'autant plus d'autorité et sont d'autant plus vénérables que leur origine semble plus ancienne. Un fragment hésiodique cité par Porphyre affirme déjà qu'en ce qui concerne les sacrifices, «la règle traditionnelle la plus ancienne est la meilleure», *nómos d'archaîos áristos*[6].

Certes les adjectifs *archaîos* et *palaiós* sont employés parfois d'une manière défavorable et signifient alors vieilli ou démodé mais c'est rarement le cas lorsqu'il s'agit de religion. Cela arrive chez quelques philosophes qui précisément critiquent la religion de leurs contemporains. Leur attitude reste d'ailleurs ambiguë; ils se réfèrent eux-mêmes à de vieilles croyances et mettent peu en doute l'autorité des Anciens quant à la pratique rituelle. Pour l'ensemble du peuple grec, l'antiquité d'une institution religieuse est la mesure de sa valeur. Les orateurs invoquent maintes fois les *archaîna nómima* et le souvenir des ancêtres, pour émouvoir les sentiments religieux de leurs auditeurs[7]. A propos de règles qui s'imposent à certaines catégories de prêtresses, l'auteur du discours «Contre Néaira» sollicite le témoignage d'un hiérophante pour que les jurés auxquels il s'adresse sachent «combien ces usages sont augustes, sacrés, antiques», *hín' eidẽte hõs semnà kaì hágia kaì archaîa tà nómimá estin*[8].

[2] Xénophon, *Mem.* 1, 1,3.

[3] Xénophon, *Apol.*, 10–11; *Mem.* 1, 1, 1–2; 1, 2,64. Sur la corrélation *nomízein theoús – nomízein theoús eînai*, comparer Platon, *Apol.* 24b et 26c; *Leg.* 885c (908c) et 886a; *Prot.* 322 et *Conv.* 202d.

[4] Hérodote 1, 131–133; 4, 59.

[5] La coutume se réduirait-elle, dans les cas extrêmes, à une habitude individuelle.

[6] Hésiode *fr.* 322 West-Merkelbach.

[7] e.g. Antiphon 6, 4; Démosthène 9, 15; 26, 13; Dinarque, *c. Philocl.* 21.

[8] Démosthène 59, 78.

Ce qui est vrai des pratiques l'est aussi des croyances. Elles ont trouvé leur expression dans de vieilles paroles, des *palaioì lógoi*[9]. «Hiéron, si tu veux comprendre le sens profond des paroles», écrit Pindare, «l'apprenant des ancêtres, sache que, dans la distribution que les Immortels font aux hommes, il y a deux maux pour un bien»[10]. Plusieurs de ces vieilles paroles furent peut-être brèves, voisines d'un proverbe ou d'une maxime. Plus étendues, d'autres furent certainement énoncées sous une forme poétique.

Certains vieux poèmes étaient désignés sous le nom de «paroles sacrées», de *hieroì lógoi.* Comme nous le voyons par exemple chez Hérodote, ces paroles sacrées se rattachent souvent à des cultes[11]; je ne suis pas persuadé que ce soit toujours le cas. Lorsque Platon écrit: en ce qui concerne la destinée posthume de l'âme, «il faut faire crédit aux paroles anciennes et sacrées»[12], à quel culte se réfère-t-il exactement? Pouvons-nous vraiment lier à un culte les *Hieroì lógoi* qu'une antiquité plus tardive, il est vrai, attribuera à Orphée?

Quoi qu'il en soit, d'anciens poèmes que rien ne désigne explicitement comme sacrés furent également tenus pour une source de la religion et, sacrés ou non, tous ces textes eurent un auteur. Or l'invention poétique présente un caractère merveilleux.

Au début de la *Théogonie*, dans un prologue solennel, Hésiode célèbre longuement les Muses[13]. Elles lui ont parlé, alors qu'il menait paître ses troupeaux sur les flancs de l'Hélicon, et ce sont elles qui l'ont incité à la poésie. Pleines de grâce et de charme, elles dissipent les soucis. A cette fin, elles inventent parfois des fictions; ce que dit le poète qu'elles inspirent ne sera donc pas toujours conforme à la réalité; mais elles savent aussi proclamer la vérité. Elles donnent une parole convaincante à l'homme juste, elles lui confèrent du prestige et de l'autorité. Dans cette fonction, elles sont notamment les auxiliaires des rois. Or en interpelant Hésiode et en faisant de lui un poète, elles lui ont confié une mission: il doit chanter «ce qui sera et ce qui fut»[14]. Son chant sera donc vrai. Pour bien remplir cette mission, il leur adresse une prière: «Salut, enfants de Zeus! Donnez-moi un chant propre à séduire. Célébrez la race des Immortels qui existent pour toujours...» Il énumère les sujets qu'il envisage de traiter et conclut: «Ces choses dites-les moi...»[15]. C'est donc sous l'inspiration des Muses que le poète

[9] Platon, *Phaed.* 70c; *Phaedr.* 240c; *Leg.* 865d; etc.
[10] Pindare, *Py.* 3, 80.
[11] Hérodote 2, 47; 62.
[12] Platon, *Ep.* 7, 335a.
[13] Hésiode, *Th.* 1–155.
[14] Hésiode, *Th.* 32.
[15] Hésiode, *Th.* 104–115.

compose; plus clairement encore, il répète les paroles qu'elles lui font entendre.

Chez Hésiode, cette invocation des Muses n'est pas simple soumission à une convention littéraire. Beaucoup plus tard, lorsqu'il aura gagné un concours de poésie à Chalcis, il leur consacrera le trépied, insigne de sa victoire. «Je le consacrai aux Muses de l'Hélicon, à l'endroit même où, pour la première fois, elles me donnèrent accès au chant mélodieux»[16].

Sous une forme plus théorique, Platon énonce les idées qui sous-tendent le comportement d'Hésiode et qui l'expliquent. «Les poètes épiques, les bons poètes, ce n'est point par un effet de l'art mais pour être inspirés par un dieu et possédés qu'ils débitent tous ces beaux poèmes. Il en est de même des bons poètes lyriques: comme les gens en proie au délire des Corybantes n'ont pas leur raison quand ils dansent, ainsi les poètes lyriques n'ont pas leur raison quand ils composent ces beaux vers... C'est chose légère que le poète, ailée, sacrée; il n'est pas en état de créer avant d'être inspiré par un dieu, hors de lui, et de n'avoir plus sa raison; tant qu'il garde cette faculté, tout être humain est incapable de faire œuvre poétique et de chanter des oracles... Et si la divinité leur ôte la raison, en les prenant pour ministres, comme les prophètes et les devins inspirés, c'est pour nous apprendre, à nous les auditeurs, que ce n'est pas eux qui disent des choses si précieuses – ils n'ont pas leur raison – mais la divinité elle-même qui parle, et par leur intermédiaire se fait entendre à nous»[17].

Il est vrai que ce passage porte une touche d'ironie. Platon y met en évidence le rôle joué par l'inspiration dans l'activité poétique pour

[16] Hésiode, *Op.* 658–659. Le récit de cette intervention divine a donné lieu à plusieurs interprétations. On l'a comparé à d'autres récits de même type que l'on trouve notamment dans le Proche-Orient; relevant entre eux tous des traits semblables, quelques auteurs concluent qu'Hésiode obéit ici à une pure convention littéraire. Cette conclusion me paraît abusive. Le récit d'Hésiode a sans doute des antécédents. Dans le monde égéen ou dans son voisinage, d'autres hommes ont eu le sentiment de rencontrer ou d'entendre un dieu; de telles expériences sont attestées dans de trop nombreuses civilisations pour que nous puissions en douter. Comme beaucoup de phénomènes religieux, elles se conforment souvent à des schémas communs; le récit des plus anciennes peut en outre influencer les suivantes et la façon dont on les relate. Cela n'en exclut pas l'authenticité. A elles seules, les correspondances qui unissent le récit d'Hésiode à d'autres récits de même type ne permettent donc pas de mettre sa sincérité en doute. (Sur ce point, la prudence de West, 1971, p. 158 sqq., me paraît justifiée). Il a vécu l'inspiration poétique comme une expérience religieuse. Les vers des *Travaux* qui se réfèrent au passage de la *Théogonie* confirment l'authenticité de l'expérience hésiodique. En dépit de Plutarque, il n'y a pas lieu de les condamner. Le concours qui aurait opposé Homère et Hésiode est sans doute légendaire mais le concours de Chalcis en est distinct (voir Mazon, 1914, p. 137).

[17] Platon, *Ion* 533d–535a. (trad. Méridier)

montrer que la science propre du poète ou du rhapsode n'est pas aussi grande qu'Ion l'imagine. Mais il évoque ailleurs cette inspiration divine, dans les mêmes termes ou peu s'en faut, avec une intention différente. Le *Phèdre* comporte un long entretien sur l'amour. Socrate y montre dans le délire amoureux l'effet d'une possession divine comparable à celle dont sont saisis les devins d'une part et les poètes de l'autre: «Parmi nos biens, les plus grands sont ceux qui nous viennent par l'intermédiaire d'un délire, dont à coup sûr nous dote un don divin. On le voit en effet: la prophétesse de Delphes, les prêtresses de Dodone, c'est dans leur délire qu'elles ont été pour la Grèce les ouvrières de nombre de bienfaits évidents,... tandis que, quand elles étaient dans leur bon sens, leur action se réduisait à peu de chose, ou même à rien. Après cela parlerons-nous de la Sibylle, de tous ceux qui, usant d'une divination qu'un dieu inspire, ont d'avance dicté à bien de gens... le droit chemin de leur avenir? Ce serait s'attarder à ce qui est évident pour tout le monde... Il y a encore un troisième genre de possession et de délire, celui dont les Muses sont le principe: si l'âme qui en est saisie est une âme délicate et immaculée, elle en reçoit l'éveil, il la plonge dans des transports qui s'expriment en odes, en poésies diverses, il pare de gloire mille et mille exploits des Anciens, et ainsi il fait l'éducation de la postérité».[18]

Socrate se réfère à la divination et à la poésie pour faire mieux comprendre le jugement favorable qu'il porte sur l'amoureux. Il y a une part de jeu dans cette comparaison mais elle serait inacceptable si les idées énoncées quant à la divination et à la poésie n'étaient pas familières aux Grecs. A propos de l'inspiration prophétique, Platon peut d'ailleurs écrire: en parler davantage «serait s'attacher à ce qui est évident pour tout le monde». Quant à l'idée qu'un dieu parle par la bouche du poète, elle est présente parmi eux dès l'*Iliade* dont on connaît le premier vers: «Dis-moi, déesse, la colère d'Achille... » Comparable à celle qui ouvre l'*Odyssée*, une telle invocation doit être prise au sérieux; l'exemple d'Hésiode nous en a fait connaître la portée.

Le poète inspiré chante des mythes; il contribue ainsi à la formation des croyances grecques. Le divin inspiré peut instituer des rites. Nous le voyons encore dans le *Phèdre*: «Ces maladies..., ces épreuves entre toutes rigoureuses, qui en conséquence d'antiques ressentiments, venant on ne sait d'où, dans certains individus d'une race, – le délire prophétique, en se produisant chez ceux qui y étaient destinés, a trouvé le moyen de les éloigner, et cela par un recours à des prières aux dieux,

[18] Platon, *Phaedr*. 244a–245a (trad. Robin).

à des services en leur honneur; grâce à quoi, ayant abouti à des rites purificateurs et d'initiation, il a mis à l'abri celui qui y participe... »[19].

Dans ce passage, Platon rattache au délire inspiré des prophètes l'institution de quelques rites spéciaux. Il montre dans les *Lois* que l'inspiration prophétique a contribué beaucoup plus largement à la formation des cultes grecs: «...En ce qui concerne les dieux, les sanctuaires à fonder par chaque peuple en sa cité, les noms de dieux ou de démons à leur donner, personne n'entreprendra... de toucher à ce que Delphes, Dodone, Ammon ou un autre des anciens oracles aura suggéré à certains de quelque façon que ce soit, par vision ou par message divinement inspiré; à la suite de ces suggestions, on a institué des sacrifices...; on a, sur la foi de communications de ce genre, consacré des oracles, des statues, des autels, des chapelles, et on a réservé à chaque sanctuaire une enceinte sacrée; à aucune de ces fondations le législateur ne doit toucher le moins de monde»[20].

En bref, ce dont en chaque lieu la tradition religieuse garde le souvenir c'est ce que les dieux eux-mêmes ont fait connaître aux hommes, par l'intermédiaire de privilégiés qu'ils inspirent. De ce point de vue nous pouvons dire que la religion grecque se fonde sur une tradition inspirée et qu'elle y trouve sa norme.

## *II Comment la tradition se transmet-elle?*

La religion grecque, avons-nous dit, n'est pas une religion du livre. L'écriture est pourtant répandue dans le monde hellénique dès une époque ancienne; sous la forme du linéaire B, dès la seconde moitié du deuxième millénaire; dans une adaptation de l'alphabet phénicien, dès le VIIIe siècle au moins. L'écrit ne fut pourtant pas pour les Grecs le seul véhicule de la tradition ni sans doute le plus important. Ils ont des livres mais, longtemps, la connaissance des textes paraît se diffuser parmi eux, moins par l'effet de lectures individuelles que par celui de récitations publiques et les auteurs semblent les citer de mémoire plus souvent qu'en se référant à un ouvrage écrit.

Des inscriptions conservent des règles relatives au rituel; or la plupart d'entre elles ont une portée limitée. Elles indiquent certains actes qu'il

[19] Platon, *Phaedr*. 24d-e (trad. Robin).

[20] Platon, *Leg*. 738b-c (trad. Des Places). En les plaçant les uns et les autres dans la catégorie des inspirés, Platon rapproche les poètes des devins. En fait il y a une étroite correspondance entre l'action des Muses et celle du dieu prophétique. Celui-ci n'est pas seulement le révélateur de nouveaux rites; il dispense bien d'autres enseignements, très proches de ceux que l'homme doit aux Muses. Après avoir rappelé une opinion d'Epicure, une épigramme conclut: «Cela, il l'a appris des Muses ou des trépieds sacrés de Delphes» (Diogène Laerce 10, 12).

faut éviter de commettre à l'intérieur de tel ou tel sanctuaire; elles fixent les émoluments dus aux prêtres ou le montant des sommes nécessaires pour assurer l'accomplissement des cérémonies sacrées; les plus positives donnent le calendrier des fêtes, énumèrent les offrandes qui conviennent à chaque dieu à une date définie ou les victimes qu'il faut lui sacrifier [21]. Aucune ne décrit avec précision les actes constitutifs de la cérémonie, les modalités d'un sacrifice ou d'une consécration. Ce n'est pas l'écrit qui donne de tels enseignements. Il n'en résulte pas que le rituel soit flottant. Envoyé à Délos, un théore athénien fut accusé d'impiété pour y avoir sacrifé sans respecter les règles appropriées. Il l'avait fait hors de la présence du prêtre et commis une faute que nous ignorons. Les maigres restes des plaidoiries prononcées lors de son procès[22] nous apprennent pourtant une chose: il existe un rituel auquel il ne faut pas déroger; un prêtre doit en assurer le respect.

Comment donc les intéressés acquièrent-ils le savoir requis? La formation religieuse de l'Athénien commence dès son enfance. Jusqu'à l'âge de sept ans environ, dans la maison familiale, il entend sa mère ou les femmes qui s'occupent de lui lui raconter des histoires. Comme les plus importantes d'entre elles qui sont issues d'Homère et d'Hésiode, selon le témoignage de Platon, elles se rapportent souvent à des dieux ou à des héros[23]. Chez un maître, il utilise ensuite des récits de même type, dans son apprentissage de la lecture et de la récitation. Il acquiert ainsi la connaissance de nombreux mythes, en écoutant ceux qui se proposent de le divertir ou en accomplissant des exercices qui n'ont pas la religion pour objet immédiat.

La pratique cultuelle complète son éducation religieuse. Il est lui-même l'acteur ou l'objet de plusieurs rites. Il ne garde aucune conscience des cérémonies accomplies dans les dix jours qui ont suivi sa naissance et qui visaient à le faire entrer dans la communauté familiale mais celles qui l'ont ensuite introduit dans une phratrie lui laissent certainement un souvenir[24]. Lors de différentes fêtes, il a été membre d'un chœur d'enfants; en s'y préparant avec ses camarades sous la conduite d'un maître, il a appris des paroles qui ne pouvaient être dépourvues de sens[25]. A l'âge de dix-huit ans, dans le service de l'éphébie, il a participé activement à plusieurs cérémonies religieuses, à de grands sacrifices et visité les principaux sanctuaires de l'Attique[26];

[21] *IG* I², 3/4; 5; 6; 10; 24/25; 47; 188; 190; II–III², 140; 334; 1078; 1177; 1356; 1357; 1358; 1361; 1357; etc. Voir aussi, plus généralement, Sokolowski (1955, 1962 et 1969).

[22] Lycurgue *fr.* 6, 1 Dürrbach. Cf. aussi (le pseudo) Démosthène 59, 116.

[23] Platon, *Resp.* 377a-e.

[24] Samter (1901 et 1911); Brelich (1969).

[25] Outre les ouvrages cités ci-dessus, Deubner (1932).

[26] Aristote, *Const. d'Ath.* 42, 3; Pelekidis (1962).

ensuite il a prêté le serment civique, où sont invoquées de nombreuses divinités d'importance inégale et dont, à ce moment, il ne pouvait ignorer la nature[27].

Par la suite, la participation aux cérémonies du culte renouvelle périodiquement l'apprentissage religieux des citoyens et entretient leur mémoire. Lorsqu'ils n'y prennent pas une part active, les rites constituent un spectacle auquel ils assistent; il entendent des chants dont les paroles se réfèrent aux croyances communes; plusieurs fêtes donnent en outre lieu à des représentations dramatiques qui leur rappellent ces croyances, en leur inspirant à leur sujet des émotions, des sentiments et des réflexions. Notons ici que les Athéniens semblent avoir enregistré ce qu'ils entendaient, avec une précision remarquable. Alors que les tragédies sont en principe représentées une seule fois dans la cité, le poète comique Aristophane pouvait en évoquer certaines scènes, certains vers, ou les parodier et se faire assez bien comprendre de son public pour l'amuser[28].

Des peintures et des statues sont en outre déposées dans les sanctuaires, des sculptures ornent les frontons et les murs des temples. Sont-elles toujours en rapport avec les cultes célébrés dans les lieux où elles se trouvent? Il arrive que ce rapport ne nous soit pas perceptible; il n'est sans doute pas toujours immédiat. Quoi qu'il en soit, ces œuvres d'art figurent des scènes mythiques. Elles sont pleinement intelligibles à ceux qui connaissent déjà les récits auxquels elles se réfèrent mais, du même coup, elles leur en rappellent le souvenir. Elles suscitent des interrogations chez l'ignorant qui demande autour de lui des explications à leur propos. Nous le voyons dans une scène fameuse où Euripide évoque les visiteuses du sanctuaire de Delphes[29]; nous le voyons aussi chez Pausanias qui consulte les indigènes, si ce n'est parfois le personnel des temples, pour comprendre les monuments dont le sens lui paraît énigmatique[30].

Les dieux et les héros ne sont pas seulement représentés sur les monuments sacrés; leurs images ornent des objets de luxe ou parfois, serait-ce d'une façon plus rudimentaire, des objets d'usage courant. Qu'ils remplissent ou non une fonction religieuse spécifique, les arts figurés attestent pour nous la très large diffusion des images mythiques à l'intérieur de la société grecque; pour les anciens eux-mêmes, ils

[27] Lycurgue, *c. Leocr.* 77. Cf. Pollux 8, 105–106.

[28] e.g. Aristophane, *Acharn.* 440–441; 496–497; 893–894; *Thesm.* 404; 413; *Ran. passim.*

[29] Euripide, *Ion* 184–218.

[30] Pausanias 8, 25,4–10; 37,1–2; 42,1–13; etc.

contribuaient à cette diffusion, renforçant à chaque instant la présence dans leur esprit des figures divines et héroïques.

Les œuvres littéraires jouent un rôle semblable, en dépit de leur ambiguïté. En matière de religion, aucune d'entre elles ne jouit d'une autorité absolue. Hésiode lui-même nous a appris que les Muses peuvent inventer de pures fictions. Un grand nombre d'entre elles se réfèrent pourtant à des dieux, à des héros, et le font sérieusement. Elles traitent de thèmes traditionnels qu'elles reprennent et renouvellent et, comme les spectacles dramatiques, elles entretiennent une constante réflexion à leur propos.

En bref, c'est la participation de l'individu aux activités des groupements constitutifs de la société grecque, son imprégnation par la culture commune dans laquelle il est plongé, qui forment et entretiennent sa mémoire des traditions religieuses. L'enfant ne reçoit pas d'enseignement religieux distinct de l'éducation à laquelle il est généralement soumis; la Grèce ne connaît pas de catéchisme. L'adulte assiste ou participe à de nombreux rites; il n'entend point de prédication.

Nulle institution n'est chargée de conserver et de transmettre un enseignement religieux commun. Il n'y a point d'église, point de véritable clergé. Il y a sans doute des prêtres mais chacun d'eux est attaché à un sanctuaire particulier et il n'y a point de rapports institutionnels entre les prêtres de sanctuaires différents. Ces prêtres ne reçoivent point de formation spécifique; dans la plupart des cas, il sont désignés par élection ou par tirage au sort, comme le sont d'autres officiers de l'état, et leur mandat est limité dans le temps. Leur nom, *hiereîs*, désigne en eux des sacrificateurs mais un grand nombre de sacrifices sont accomplis par le chef de la communauté concernée, le père de famille, le magistrat du dème ou de la cité, le général d'armée. Du fait de son intégration dans une société, de sa participation à toutes les activités qu'elle exerce, chacun en connaît les usages et peut en accomplir les rites, dans toute la mesure où il la représente dignement; sous cette condition, la communauté peut assigner une fonction sacerdotale à n'importe lequel de ses membres.

Cette règle connaît des exceptions et doit être nuancée. Dans la cité, quelques sacerdoces sont réservés aux membres de familles aristocratiques. A Athènes, la prêtresse d'Athéna Polias et le prêtre de Poseidon Erechthée sont choisis chez les Etéoboutades, le prêtre de Zeus Polieus chez les Thaulonides, les Hésychides assurent le culte des Euménides, etc. Il serait faux d'en conclure trop vite que certains membres de telles familles reçoivent une formation sacerdotale particulière. Plus fondamentalement, ils sont imprégnés des traditions propres à chacune des communautés gentilices auxquelles les cultes concernés avaient appartenu, avant d'être adoptés par la cité toute entière[31].

De telles traditions familiales peuvent ne pas manquer de richesse. La famille des Lycomides, par exemple, possède un ensemble d'hymnes dont ils attribuent la paternité à Orphée; ils les chantent, lors des cérémonies auxquelles ils président. Il est douteux qu'ils conservent ces hymnes sous la forme d'un livre. Pausanias écrit simplement: «Ils les savent et les chantent»[32].

Dans certains cas, de telles familles fournissent à un sanctuaire un prêtre ou une prêtresse qui conservent leur charge pendant toute leur vie. En ce qui concerne le culte dont ils ont la responsabilité, la longeur de son mandat confère à ce personnage de l'expérience et de l'autorité. D'une manière que nous ignorons, il communique probablement quelque chose de son savoir au successeur qui lui est désigné. Comme celui-ci appartient nécessairement à la même famille que lui, il y a lieu de penser que la communication s'établit à l'intérieur de cette famille, où la science acquise par le spécialiste se diffuse d'une façon plus générale et dont elle enrichit constamment la tradition. Il semble qu'elle se diffuse en outre, serait-ce à un moindre degré, dans tout le personnel attaché au service du temple.

Bien que la plupart des cultes appartiennent à une communauté restreinte dont les membres célèbrent les rites de plein droit, ainsi que nous l'avons vu, il n'est pas exclu qu'un étranger puisse y participer. Les prêtres ou d'autres officiants font alors pour lui les gestes requis, ou lui indiquent les actes qu'il doit accomplir. Ils lui en expliquent aussi le sens. C'est ainsi qu'un individu peut élargir les connaissances religieuses qu'il doit à sa propre famille et à sa propre cité. Dans de tels cas, il reçoit parfois l'injonction de ne pas divulguer certaines parties de ce qu'il apprend. Nous pourrions dire alors que l'enseignement est ésotérique. Si nous considérons le nombre des cultes auxquels Pausanias fut initié de cette manière, nous devons admettre pourtant que l'enseignement secret se transmet en très peu de temps; il se réduit probablement à quelques récits, à l'explication de quelques gestes.

Nous connaissons imparfaitement ce qui était transmis à l'intérieur des familles et des cités; de brefs documents, des œuvres littéraires souvent allusives, nous en font entendre un écho affaibli. L'absence de catéchisme et de prédication, la flexibilité des croyances, attestée par

[31] Martha (1882); Stengel (1920).

[32] Pausanias 9, 30,12; les Lycomides possèdent aussi des hymnes attribués à Musée: Pausanias 1, 22,7; 4, 1,5. Dans les familles détentrices de cultes importants, il se pourrait que des traditions aient un jour été mises par écrit. Dans ce cas même, l'écrit reste, à mon avis, le support auxiliaire d'une tradition qui continue de se transmettre d'abord par la parole et par l'exemple.

toutes les œuvres antiques, nous suggèrent au moins une remarque négative. Ce qui est transmis ne ressemble pas à un dogme; ce n'est pas une doctrine. C'est de la nature du geste, de l'image ou du récit plus que de la théorie. Mais c'est étroitement lié à une façon de vivre, solidaire d'un ensemble d'émotions. Les mythes, en particulier, ne sont pas l'objet d'une foi mais, devenus familiers, ils se donnent à chacun comme source d'une inspiration possible de ses conduites, comme un instrument de la réflexion par laquelle il se situera lui-même à l'intérieur du monde et de la société.

## *III La dialectique de la mémoire et de l'inspiration*

Ainsi que nous l'avons vu, les adjectifs *archaîos* et *palaiós* qualifient les plus vénérables des rites et des récits dont la tradition garde le souvenir mais l'ancienneté qu'ils signifient est toute relative. L'époque à laquelle ils se réfèrent n'est pas délimitée; elle est assez imprécise pour que l'on puisse appeler antique à peu près toute pratique dont on veut imposer le respect. On ne parle jamais d'une inspiration originelle, première source de la tradition. Il y a de nombreux personnages inspirés; les plus anciens de ceux qu'on se rappelle, les plus vénérés d'entre eux, se sont inscrits dans une tradition qui leur préexistait.

Hérodote invente une théorie de l'origine de la religion grecque. «D'après ce que j'ai appris à Dodone», écrit-il, «les Pélasges faisaient jadis des sacrifices en invoquant les dieux mais ils ne connaissaient d'épithète ni de nom personnel à aucun d'entre eux, car ils n'en avaient jamais entendu prononcer. Ils les appelaient dieux *(theoús)*, considérant qu'ils étaient maîtres de toutes choses et de leur distribution dans l'ordre universel parce qu'ils les avaient établies *(théntes)*. Longtemps plus tard ils apprirent les noms de dieux... qui leur parvenaient d'Egypte. Après quelques temps encore, il consultèrent l'oracle de Dodone... et lui demandèrent s'ils devaient adopter ces noms qui leur venaient de chez les Barbares; l'oracle leur répondit d'en faire usage. A partir de cette époque, les Pélasges sacrifièrent, en utilisant les noms personnels des dieux. C'est d'eux que plus tard les Grecs reçurent ces noms. D'où chacun des dieux tirait son existence ou s'ils existaient de toute éternité, quelles sont leurs formes, ils l'ignoraient jusqu'à une époque récente, hier ou avant-hier pour ainsi dire. Je pense en effet qu'Hésiode et Homère ont vécu quatre cents ans avant moi, pas davantage. Or ce sont eux qui ont créé une théogonie pour les Grecs, qui ont distribué les honneurs et les pouvoirs entre les dieux, qui ont fait connaître leurs figures. Car les poètes qui auraient vécu avant ces deux auteurs, dit-on, leur sont à mon avis postérieurs. De cette histoire, la première partie est racontée par les prêtresses de Dodone, la seconde – qui concerne Homère et Hésiode – c'est moi qui la présente»[33].

Même si elle reçoit une caution partielle des prêtresses de Dodone, cette théorie est celle d'Hérodote; malgré son originalité, elle met en œuvre quelques idées simples, facilement acceptables pour un esprit grec.

1. Sans avoir appris cet usage de personne, les premiers habitants de la Grèce offraient des sacrifices aux dieux. La chose ne surprend pas. L'accomplissement d'un tel rite résulte d'une obligation constitutive de la condition humaine, telle que les mythes de Prométhée, par exemple, contribuent à l'éclairer. L'homme la ressent spontanément, comme il ressent en tous lieux l'action de puissances qui agissent sur les choses, mais cette disposition ne s'accompagne originellement en lui d'aucune connaissance claire.

2. Les noms des dieux leur parviennent d'Egypte. Ils sont un auxiliaire propre à augmenter l'efficacité du rite; ils sont davantage encore un premier instrument de connaissance. Cette provenance égyptienne se comprend aisément. Les Egyptiens se caractérisent en effet aux yeux d'Hérodote et des Grecs par l'ancienneté de leur civilisation. Cette ancienneté leur confère un savoir supérieur à celui de peuples plus récents.

3. Les traditions toutefois sont locales. Est-il légitime de les transplanter? Dérogeant à leurs propres usages, les Pélasges peuvent-ils adopter sans risque un usage étranger? Conformément à une pratique constante dans le monde grec, ainsi que nous le constaterons, ils consultent un oracle à ce propos. Comme Platon nous l'a appris, les prêtresses de Dodone sont inspirées. C'est donc l'inspiration divine qui autorise ici une modification de la tradition pélasgique.

4. Les Grecs – qui devaient posséder d'emblée la disposition religieuse commune à tous les hommes – succédèrent aux Pélasges sur le territoire de l'Hellade; ils en recueillirent l'héritage. Formés par une tradition où l'existence de noms personnels permettait de reconnaître une identité propre à chacun des dieux, des poètes grecs leur ont ensuite donné les figures, les aventures, les fonctions, tous les traits qui les caractérisent pour les contemporains d'Hérodote.

5. Le rôle que l'historien attribue à ces auteurs dans la formation de la religion hellénique est intelligible, en considération du caractère divin de l'inspiration poétique. Si l'on n'en tenait pas compte, il faudrait prêter à Hérodote un scepticisme qu'il n'a pas. En montrant dans les

[33] Hérodote 2, 52–53. Les noms des dieux grecs sont très différents de ceux des dieux égyptiens. Comment se fait-il qu'Hérodote n'en ait pas été gêné? Ce n'est pas le problème dont nous traitons ici. A ce propos, voir Burkert (1985).

figures divines et dans les croyances qui leur sont attachées le produit d'une invention de poètes, il jetterait un doute sur leur validité et leur sérieux. Nous pouvons donc tirer de son enseignement la leçon suivante: les poètes Homère et Hésiode appartenaient à une tradition déjà ancienne que, par leur intermédiaire, l'inspiration divine a modifiée et enrichie.

Le texte d'Hérodote nous suggérera deux dernières observations.

a) Les œuvres d'Homère et d'Hésiode ne sont pas destinées à un usage cultuel; elles ne sont liées à nul sanctuaire, à l'accomplissement d'aucun rite. Nous pourrions les tenir pour profanes, si cette notion avait existé dans la pensée grecque. L'œuvre destinée à charmer ou à instruire dans différents domaines peut, en matière religieuse, avoir autant d'autorité qu'un texte liturgique.

b) Hérodote attribue à Homère et à Hésiode le rôle que nous venons de voir parce qu'ils sont, à son avis, les plus anciens des poètes grecs, et non parce qu'il les tiendrait pour seuls inspirés. Plusieurs de ses contemporains, nous apprend-il, situent d'autres poètes avant eux; l'historien ne conteste pas l'existence de ces poètes et reconnaît la portée religieuse de leur enseignement. Il traite seulement de l'époque à laquelle ils ont vécu. C'est parce qu'il furent les plus anciens qu'Homère et Hésiode furent aussi les auteurs de la réforme dont Hérodote parle. Si d'autres poètes les avaient vraiment précédés dans le temps, c'est à eux qu'il faudrait en attribuer le mérite.

Le nombre des inspirés n'est donc pas limité. Tous les bons poètes créent sous l'inspiration des Muses, ainsi que nous l'avons vu chez Platon, ou sous celle d'Apollon[34]. Comme l'*Iliade* et l'*Odyssée*, de nombreux poèmes composés en vers épiques commencent par une invocation des Muses [35]; c'est aussi le cas de plusieurs œuvres lyriques[36]. Nous le voyons aussi bien chez Sappho dont la poésie exprime des sentiments intimes («Venez ici, tendres Charites, et vous aussi Muses aux beaux cheveux...»)[37] que chez Alcman, l'auteur de chants destinés à un culte collectif, («Allons, Muse, Muse à la voix mélodieuse, au chant éternel, entonne pour les jeunes filles un air nouveau»[38].

[34] Homère, *Od.* 8, 487 sqq.

[35] Epigones, in *Homeri Opera*, ed. T.W. Allen, t.V, p.115. *Hymnes homériques* 4, 1; 5, 1; 9, 1–2; etc.

[36] Stésichore 178 Page (cf. 210).

[37] Sappho 128 Lobel-Page (cf. 127).

[38] Alcman *fr.* 4 Calame (trad. Calame); cf. 84, 85.

L'inspiration établit entre les poètes et les Muses une relation telle qu'ils leur adressent des prières pour obtenir d'elles toutes sortes de faveurs[39].

Lorsque Platon parle de poètes inspirés, il ne se réfère pas seulement aux auteurs d'autrefois; il considère l'activité poétique en elle-même, telle qu'elle s'exerce en tous lieux et en tous temps. Le processus que l'analyse du texte d'Hérodote nous a fait découvrir ne s'est pas déroulé une bonne fois, dans un passé révolu; il se poursuit à travers les siècles sans discontinuité. Dans diverses régions, à diverses époques, l'inspiration saisit des personnages formés par une longue tradition, porteurs de la mémoire de toute une collectivité; sous une influence divine, ils y introduisent des informations nouvelles ou, davantage encore, un ordre plus riche et plus subtil. Leur œuvre n'abolit jamais la tradition; elle la réaménage et peut l'amplifier.

Sous une autre forme, nous retrouvons dans l'histoire des cultes un lien semblable entre la mémoire et l'inspiration. Nous avons vu que les traditions rituelles n'ont pas de véritable commencement: les premiers hommes sacrifiaient déjà. Platon nous a appris que les oracles ou des devins inspirés par un dieu, habités, possédés par lui, ont ensuite inventé plusieurs rites mais leur rôle n'est pas achevé.

Quand un malheur incompréhensible les accable, les Grecs consultent un oracle pour apprendre de lui le moyen d'y mettre fin; or il arrive qu'il leur réponde de la manière suivante: «Vous avez négligé tel culte, omis d'accomplir tel rite; vous devez réparer cet oubli». Parfois plus prudents, s'ils ont des doutes quant aux usages à respecter, ils consultent le dieu avant d'agir; l'oracle leur rappellera les implications précises des règles religieuses[40]. Dans de tels cas, l'enseignement de l'oracle et celui de la tradition coïncident; l'inspiration supplée la mémoire défaillante.

Les oracles peuvent aussi remplir une autre fonction. Lors d'événements critiques dans l'histoire d'un peuple, ils ont ordonné l'institution de rites nouveaux[41]. Ils sont normalement consultés quand on envisage d'introduire quelque modification dans les pratiques religieuses. Cela se passe notamment dans le cas suivant. A l'intérieur du domaine hellénique, il existe de nombreuses traditions différentes selon les cités et, dans le monde, de nombreuses traditions différentes selon les peuples. Convaincus de la pertinence de la tradition dans chacune des communautés où elle se transmet, les Grecs ne cherchent

[39] Solon *fr.* 1 Diehl.

[40] *IG* $I^2$, 80; $II–III^2$, 204; etc. Pausanias 8, 42,5.

[41] Hérodote 1, 67, 167. Sur toutes ces questions, voir Parke et Wormell (1956), notamment vol. I, pp. 320 sqq.

point à modifer les croyances ou les usages d'autrui. En revanche, à l'intérieur de leur propre cité, il sont soucieux de rester fidèles aux pratiques dont la survie de cette cité à travers les vicissitudes de l'histoire a montré l'efficacité. Ils évitent notamment d'y introduire le culte de dieux étrangers[42]. Les Athéniens ont pourtant laissé se développer chez eux des cultes tels que ceux de Bendis et de Sabazios[43]. A cette fin, ils ont mit en œuvre une procédure que nous connaissons mal mais nous savons qu'elle a comporté la consultation d'un oracle. Par ce moyen, l'inspiration divine peut donc permettre d'enrichir la tradition.

Plusieurs textes épigraphiques illustrent la complémentarité qui, à l'époque classique, continue d'unir ainsi l'usage ancestral et l'inspiration prophétique. En voici un exemple: «...Que les Athéniens offrent les prémices des récoltes aux deux déesses, conformément à l'usage des ancêtres et à l'usage venu de Delphes...»

La même inscription conserve le texte d'un second décret que le conseil et le peuple athéniens ont pris sur la proposition d'un devin, le fameux Lampon. Il nous apprend: «...Concernant l'offrande du péplos à Athéna, les sacrifices préliminaires aux Moires, à Zeus et à la Terre, Apollon a prononcé l'oracle suivant...»[44].

En bref, l'inspiration rappelle à la mémoire un souvenir oublié ou réadapte la règle mémorisée à des situations nouvelles. Cette réadaptation peut avoir une conséquence paradoxale. L'inspiration poétique modifie parfois la représentation du passé.

Les variations apportées à Athènes dans la généalogie d'Ion, les façons diverses dont on le situe parmi les éponymes des grandes races helléniques, nous en offrent un exemple. Au début du V^e^ siècle, les conteurs de mythes tenaient Ion et Achaios pour frères, tous deux neveux de Doros et d'Achaios, les fils d'Hellen. Cette généalogie faisait des Ioniens l'une quelconque des races grecques. Les inventions poétiques du V^e^ siècle attribuent à Ion une autre place: il devient un fils d'Apollon et de Créuse, la descendante des vieux rois nés du sol de l'Acropole. De Xouthos, cette Créuse lui donne par ailleurs deux demi-frères, Doros et Achaios. Les Athéniens ont donc la priorité sur les trois grandes races helléniques, parmi lesquelles les Ioniens se distinguent parce qu'ils sont issus d'Apollon[45]. Le mythe renouvelé

[42] Dès le milieu du 5^e^ s., c'est une loi qui interdit l'introduction de cultes étrangers dans la cité d'Athènes. Flavius Josèphe, *c. Ap.* 2, 267. Discussion dans Derenne (1930).

[43] Schol. Dem. 313, 26; 431, 25. Cf. aussi, pour la construction d'un temple de Bendis, *IG* II–III$^2$, 1283.

[44] *IG* I$^2$, 76; cf. 78; 80; etc.

[45] *Euripide. Texte établi par L. Parmentier et H. Grégoire*, t. III, Paris, 1965 (notice à l'*Ion*, pp. 156–165).

situe les Athéniens à une place qu'ils occupent effectivement ou prétendent occuper sur la scène internationale, à la fin du V<sup>e</sup> siècle. La poésie modifie l'image symbolique du passé, pour exprimer une conviction bien enracinée chez eux: leur conduite politique reste en accord avec la vocation religieuse de la cité.

Ainsi, de même que l'inspiration oraculaire réadapte un usage ancestral à une situation nouvelle, de même l'inspiration poétique réélabore le mythe en considération du présent et peut modifier l'image traditionnelle du passé. Pour comprendre ce paradoxe, il faudrait étudier la nature et la fonction du mythe; la chose serait ici déplacée: nous considérerons pourtant une indication qu'Hésiode nous fournit à ce propos. En racontant aux dieux les événements consmogoniques les plus anciens, les Muses, dit-il, chantent *tá t'eónta tá t'essómena pró t'eónta*, «ce qui est, ce qui sera, ce qui fut auparavant»[46]. Le récit du passé concerne donc le présent et l'avenir. Nous remarquerons en outre que les subbdivisions du temps sont toutes également désignées par des formes du verbe être et que, dans leur énumération, la forme du présent vient en premier lieu. En réalité, les Muses chantent ce qui est. Les événements qu'elles évoquent se situent dans un passé mythique mais le récit qu'elles en font doit éclairer l'être dans toutes les formes qu'il peut revêtir au cours du temps. Ayant donc pour fonction de faire comprendre à l'homme le sens permanent de ce qui est, le passé mythique tel qu'il est revélé par les Muses s'adapte au présent. Solidaire de la mémoire dont elle dépend dans une large mesure, l'inspiration contribue à l'entretenir en le recréant. Inspiré, le conteur de mythe maintient un rapport tel entre le passé et le présent que la mémoire dont il est le porteur et l'interprète peut aider les hommes à comprendre l'événement où ils sont engagés et à justifier l'action par laquelle ils tentent de l'influencer.

## *IV L'enseignement du mythe*

Les Grecs étaient parfaitement conscients du rapport qui unit la mémoire et l'inspiration. Ils expriment leur connaissance de cette dialectique dans le langage du mythe.

Nous lisons dans l'Hymne homérique aux Muses:

«Que je commence en célébrant les Muses, Apollon et Zeus.
C'est par l'action des Muses et par celle de l'archer Apollon qu'il y a sur la terre des chanteurs et des citharistes, par celle de Zeus qu'il y a des rois...»[47].

[46] Hésiode, *Th.* 38.
[47] *Hymnes homériques* 25, 1–4.

Nous connaissons déjà le lien qui existe entre Zeus et les Muses; nous savons par Hésiode qu'elles chantent pour lui; nous savons aussi qu'elles donnent sa force de persuasion à la parole des justes rois. C'est à Zeus qu'ils doivent leur souveraineté; elles collaborent avec lui et complètent auprès d'eux son influence.

De nombreux témoignages nous montrent en Apollon le Musagète; il aime à fréquenter les Muses, il conduit leur danses, accompagne leurs chants[48]. Comme elles, c'est un dieu de l'inspiration mais il dispense l'inspiration prophétique, aussi bien que l'inspiration poétique. A côté de Zeus, il est le maître des principaux oracles helléniques. L'association des Muses avec Zeus et Apollon met en évidence la parenté qui unit l'inspiration musicale ou poétique à l'inspiration mantique.

Un lien étroit unit les déesses de l'inspiration à la mémoire. Selon Pausanias, une des trois Muses s'appelle *Mnēmē*, «la Mémoire»[49]; selon Plutarque, toutes les Muses sont parfois appelées collectivement sous le nom de *Mneíai*, «les Souvenirs»[50]. Elles ne conservent pas seulement le souvenir du passé; elles pourront conserver celui du présent dans l'avenir. Ce sont elles qui confèrent la réputation, la *dóxa*[51]; sans elles, la valeur elle-même resterait inconnue[52]; elles sont dispensatrices de la gloire, du *kléos*[53]. Alors que l'homme vulgaire tombe dans l'oubli, après sa mort, le souvenir de ceux qui ont eu part au don des Muses subsistera. Forte de son intimité avec les Muses, Sappho sait qu'elle ne sera pas oubliée[54]. Mais l'avenir est-il indépendant du passé? Selon la tradition dominante, les Muses sont filles de Zeus et de *Mnēmosýne*[55].

Mnémosyne est une Titanine mais les Titanines énumérées par Hésiode[56] ne sont pas toutes semblables. Téthys et Théia sont les ancêtres, la première des sources et des fleuves, la seconde, de grands astres. Dans le processus qui conduit de l'unité confuse originelle à la multiplicité distincte telle qu'elle règne aujourd'hui dans le monde et parmi les dieux, elles se situent sur la voie qui conduit au cosmique –

[48] Homère, *Il.* 601 sqq.; Sappho 208 Lobel-Page; *Poetae Melici, Ad.* 941; 1027 Page; Pausanias 5, 18,4; etc.

[49] Pausanias 9, 29, 2. (La mère des Muses appelée Mnémè: *Poetae Melici, Ad.* 941 Page).

[50] Plutarque, *Quaest. Conv.* 743d.

[51] Solon 1 Diehl; Sappho 31, 1 Lobel-Page.

[52] Pindare, *Nem.* 8, 12 sqq.

[53] Timocréon 728 Page.

[54] Sappho 55 Lobel-Page; *Poetae Melici*, Aristote 842 Page.

[55] Outre Hésiode: *Hymnes homériques* 4, 429 sqq.; Solon 1 Diehl; Pindare, Isthm. 6, 74 sqq.; Apollodore 1, 3,1.

[56] Hésiode, *Th.* 135–136.

même si le divin lui reste toujours immanent. Phoibé et Rhéa sont les ancêtres de dieux, objets des grands cultes helléniques; elles se sitent sur la voie qui conduit à la formation de personnes où le divin se trouve pour ainsi dire incarné sous sa forme la plus pure – même s'il exerce alors une action transcendante sur l'univers. Thémis et Mnémosyne sont d'une autre sorte.

Comme leur nom l'indique, elles sont d'emblée la Justice, serait-ce sous une forme ancienne, et la Mémoire. Elles n'en sont pas moins divines, perçues d'une façon concrète et personnelle; Mnémosyne a une belle chevelure[57], elle porte un péplos doré[58]. A la différence de leurs sœurs qui, unies à un Titan, semblent s'effacer après avoir enfanté, elles ne s'unissent à aucun de leurs contemporains mais, beaucoup plus tard, à Zeus. Dans la génération postérieure à celle des Titans, c'est le plus jeune des dieux et il règne aujourd'hui sur le monde. Elles conservent ainsi présence et activité à travers les temps cosmogoniques jusqu'au temps présent et les conserveront dans l'avenir. Ce qui demeure permanent à travers la durée, ce sont, en Thémis, une valeur qui s'impose à tous les êtres et, dans la personne de Mnémosyne, une disposition de la pensée présente en chacun d'eux.

De l'union de Zeus et de Thémis naquirent les Heures et les Moires, deux groupes de divinités dont les membres exercent des actions conjointes et qui forment chacun une sorte d'entité collective. Les Heures – Bonne législation, Justice et Paix – incarnent les conditions, les modalités et les effets de l'Antique justice dans le monde, tel qu'il est désormais soumis au règne de Zeus. Dans ce monde, les Moires – divinités des destins – donnent à chacun des hommes son lot, en disposant des parts de bonheur et de malheur dans le cours de sa vie[59].

De l'union de Zeus et de Mnémosyne naissent les Muses[60]:

«En Piérie, unie au Cronide leur père, c'est Mnémosyne,
la souveraine des hauteurs d'Eleuthère qui les enfanta,
pour faire oublier les maux et introduire une pause dans le cours des soucis.
Pendant neuf nuits, le prudent Zeus s'unit à elle,
loin des Immortels, partageant sa couche sacrée.
Et lorsqu'une année entière se fut accomplie, quand les saisons eurent achevé leur cycle,
la déesse enfanta neuf filles aux dispositions communes:
les chants sont l'objet de leur sollicitude intime; elles gardent un esprit

[57] Hésiode, *Th.* 915.
[58] Pindare, *Isthm.* 6, 74 sqq.
[59] Hésiode, *Th.* 901–906.
[60] Hésiode, *Th.* 919–917.

inaccessible au chagrin,
non loin de la plus haute cime de l'Olympe neigeux.
C'est là qu'évoluent leurs chœurs brillants, là que se trouvent leurs belles demeures.
Les Grâces et le Désir résident auprès d'elles»[61].

Ce texte hésiodique offre un fondement à plusieurs des propositions que nous avons déjà énoncées quant à Mnémosyne et quant aux Muses. Il donne en outre lieu aux observations suivantes.

Bien qu'elles soient neuf et portent chacune un nom, les Muses peuvent être désignées collectivement; elles partagent un même état d'esprit *(homóphrones)*, de mêmes activités; elles ne sont pas loin de former une entité unique. Leur nombre, leurs noms personnels ont d'ailleurs varié en Grèce selon les époques et les traditions, sans que changent ni leur fonction commune ni les traits charmants qu'on leur prête[62]. Dans un texte significatif à cet égard, le pluriel et le singulier alternent: les neuf Muses et la Muse sont le sujet d'une même action. Lors des funérailles d'Achille, lisons-nous dans l'*Odyssée*, «...de leur belle voix, les neuf Muses ensemble te chantèrent un thrène en couplets alternés; parmi les Achéens, tu n'aurais vu personne qui n'eût les yeux en larmes, tant leur allaient au cœur ces sanglots de la Muse.»[63].

Formant donc elles aussi une entité quasi collective, les filles de Mnémosyne ressemblent aux filles de Thémis. Entre ces deux groupes de déesses, il y a une sorte de complémentarité. Si les Heures assurent l'équilibre social, le destin des individus est entre les mains des Moires; or nous savons que celles-ci mêlent bonheurs et malheurs dans la vie de chacun d'eux. Les filles de Mnémosyne les aident à supporter les peines dont les Moires les ont ainsi frappés: elle sont là «pour faire oublier les maux et introduire une pause dans le cours des soucis».

D'une manière paradoxale, les filles de Mémoire sont donc à l'origine d'un oubli. Comme nous l'avons vu, elles savent inventer des fictions et, par cet artifice, détourner un instant l'attention des hommes de leurs peines: elles remplissent cette fonction dans les fêtes joyeuses et les banquets. Mais nous savons encore qu'elles proclament la vérité, quand elles le veulent. En le faisant, elles ne peuvent être infidèles à leur raison d'être: soulager les individus. Comment leur est-il donc possible de faire oublier le mal, quand elles disent la vérité? C'est que l'oubli qu'elles donnent occulte seulement une part de ce que les Moires attribuent aux hommes, celle des maux; il ne recouvre pas celle des biens qu'elles leur dispensent aussi, ni l'influence bénéfique des Heures parmi les hommes.

[61] Hésiode, *Th.* 53–64.
[62] Plutarque, *Quaest. Conv.* 9, 14,1 sqq. (= 743c sqq.); Pausanias 9, 29,1–4.
[63] Homère, *Od.* 24, 60–62 (trad. Bérard).

C'est là au contraire ce que les Muses célèbrent, quand elles sont véridiques. Elles sont pleinement alors filles de l'antique Mémoire, en révélant dans la totalité de l'être (ce qui est, ce qui sera et ce qui fut)[64] l'action exercée par Thémis et ses filles, sous l'autorité de Zeus. Elles font oublier les maux singuliers en les situant dans l'équilibre divin des choses, tel qu'il s'est établi au terme du processus cosmogonique.

Les Muses habitent l'Olympe; elles appartiennent à la société divine; elles chantent d'abord pour les dieux et c'est l'esprit de Zeus qu'elles charment, en racontant leur histoire[65]. Elles ont pourtant une présence terrestre; elles sont nées en Piérie: elles aiment à fréquenter les flancs de l'Hélicon, avec lequel elles entretiennent une relation de même type que celle qui unit Mnémosyne à Eleuthère. Elles établissent ainsi un lien permanent entre le ciel et la terre. D'une façon plus universelle, elles parlent aux hommes par la voix des poètes qu'elles inspirent; chantant pour eux comme elles le font pour les dieux, elles établissent un lien entre mortels et immortels; davantage encore, les paroles qu'elles soufflent au poète quand il célèbre les dieux sont un écho de celles qu'elles adressent à Zeus. C'est une connaissance voisine de la connaissance divine qu'elles donnent alors aux mortels qui, sans elles, seraient incapables de l'acquérir.

> «Maintenant dites-moi, Muses qui habitez l'Olympe – car vous êtes des déesses, vous êtes présentes et savez tout alors que nous entendons seulement une rumeur et ne savons rien – dites-moi quels étaient les chefs des Danéens...»[66]

Cette connaissance donnée par les Muses est très étendue. La poésie est la forme sous laquelle les Grecs de l'époque archaïque énoncent tout savoir. Dans les *Travaux et les Jours*, c'est sous une forme poétique qu'Hésiode expose son idée de la condition humaine, sa conception de la justice et le calendrier des travaux agricoles. Beaucoup de philosophes et de savants présocratiques écriront leurs œuvres en

[64] Hésiode, *Th.* 38.

[65] Outre Hésiode, voir aussi Homère, *Il.* 1, 601 sqq.; *Hymnes homériques* 3, 189.

[66] Homère, *Il.* 2, 484–487. Hésiode montre la ressemblance qui unit les paroles destinées aux hommes et les paroles destinées aux dieux; il indique non moins clairement la différence qui les sépare. Aux dieux, les Muses chantent «ce qui est, ce qui sera, ce qui fut»; aux hommes, elles révèlent seulement «ce qui sera et ce qui fut». Dans sa permanence, l'être est inaccessible aux mortels; ils l'appréhendent seulement dans deux de ses modalités, les plus évanescentes.

vers[67]. Inspiratrices du poète dans toutes ces activités, les Muses ne sont pas seulement la source des arts mais aussi celle des sciences. A ce titre, elles recevront un jour un culte dans les écoles philosophiques[68].

De telles déesses sont donc filles de l'antique Mémoire, rattachées par elle aux origines de l'univers. La mémoire précède l'inspiration; elle en est une condition nécessaire; il n'y aurait pas d'avenir si le souvenir du passé se trouvait aboli.

Mais les Muses sont aussi filles de Zeus. Or celui-ci règne aujourd'hui sur les dieux et parmi les hommes. Il garantit la permanence d'un ordre qu'il a contribué à établir dans l'univers, en répartissant les charges, les fonctions et les honneurs – les *timaí* – entre les êtres. Il n'en résulte pas que tout soit figé désormais: cet ordre n'est pas statique. Les dynamismes qui ont animé les événements cosmogoniques ne sont pas épuisés. Des rivalités subsistent dans la société divine comme dans celle des hommes; des conflits peuvent s'élever parmi les dieux. Maintenir l'ordre ce n'est pas, pour Zeus, abolir de tels antagonismes mais faire en sorte qu'ils se résolvent dans un équilibre toujours nouveau, où les puissances opposées se contrebalancent. Il y a donc encore une histoire sous le règne de Zeus, bien qu'il soit définitivement établi, et, dans cette histoire, une actualité constamment changeante. Si les Muses sont filles de Mnémosyne et si l'inspiration procède de la mémoire, filles de Zeus, elles sont liées à l'événement, tel qu'il se déroule aujourd'hui sous le regard du dieu souverain. L'inspiration qu'elles dispensent s'enracine dans un passé mais, comme elles chantent l'être dans sa permanence profonde, elles unissent constamment le passé au présent et à l'avenir, adaptant les unes aux autres à l'intention des hommes les images passagères qu'ils s'en font. L'enseignement des Muses, filles de Mnémosyne et de Zeus, trouve sa pertinence et la plénitude de son sens dans cette corrélation.

Le mythe confirme donc les observations que nous avons faites en considérant ce que les Grecs nous disent eux-mêmes de leurs traditions religieuses mais il leur donne une dimension nouvelle. La dialectique de la mémoire et de l'inspiration, telle qu'elle se déroule dans l'histoire des croyances et des cultes, correspond à une dialectique plus essentielle qui est celle du divin lui-même, tel qu'il ne cesse d'agir à l'intérieur du monde.

[67] Ex.: Xénophane, Parménide, Empédocle. Les deux derniers auteurs soulignent l'importance de l'inspiration divine. Une déesse a guidé la réflexion de Parménide (*fr.* 1, 22 sqq. Untersteiner). Empédocle demande aux dieux, il demande à la Muse de l'instruire, de lui inspirer les paroles qui conviennent et précise: je ne vous demande pas de connaissances interdites aux mortels (Empédocle 31 B 4 Diels-Kranz).

[68] E.g. Diogène Laerce 3, 25; 4, 23; 6, 69; 86; 8, 40. Voir aussi Boyancé (1937).

## *V Autre perspective: la mémoire personnelle et l'oubli*

Telle que nous l'avons envisagée dans les pages qui précèdent, la mémoire assure la conservation du savoir à l'intérieur d'une société. Elle concerne l'individu dans la mesure où, membre d'un groupe humain solidement structuré, il se sent défini par la situation qu'il y occupe, dans son identité la plus profonde. Dans ce cas, la tradition lui fournit la norme des conduites par lesquelles il se met lui-même en accord avec sa raison d'être: elle est sociale. Il vit parmi ses proches et prête peu d'attention à la destinée lointaine de son âme. Son indifférence à cet égard se comprend particulièrement bien s'il croit que, dans l'au-delà, les âmes ont toutes l'inconsistance des ombres évoquées par Homère[69]. Seule la permanence de la communauté dont il est solidaire compensera sa propre mort, justifiant ainsi ses efforts et ses peines. Il peut trouver en elle une forme brillante de survie: celle de la gloire conférée par les Muses aux hommes valeureux.

Pour comprendre de tels sentiments, il faut considérer une pensée présente, à mon avis, dans la tradition religieuse commune de la Grèce. L'homme vit dans une société organisée; selon le mot d'Aristote, il est «politique». Or l'ordre religieux des choses, tel que les mythes relatifs à la cosmogonie, à l'origine de l'humanité, à la fondation des cités et de leurs institutions l'éclairent, unit dans un tout cohérent le monde divin, la réalité cosmique et le monde humain. Dans son identité profonde, chaque homme est défini par la place qu'il occupe à l'intérieur de cette vaste ordonnance et donc par la condition sociale qui lui y est impartie. C'est là qu'il trouve toute sa raison d'être.

On sait pourtant que la Grèce a connu des croyances diverses quant à la mort; on y a notamment professé l'idée que toutes les âmes ne partagent pas le même sort dans le monde infernal. L'espoir d'y obtenir une situation privilégiée pouvait inspirer lui aussi les comportements individuels; le secret de conduites utiles à cette fin était conservé par la mémoire sociale; celle-ci pouvait alors recevoir des appuis institutionnels, comme nous le voyons dans les mystères d'Eleusis. La transmission d'une part du savoir s'y effectuait au cour de cérémonies où les représentants de famille gardiennes de la mémoire instruisaient les initiés. Cela ne diminuait pas l'attention que l'on portait aux groupement gentilices et à la cité, ni les soins que l'on prenait pour en

[69] Homère, *Od.* 11, *passim*, notamment 49; 216–222; 488–491.

assurer la permanence, ni l'espoir de survivre dans la mémoire des homme[70].

Nous connaissons mal les pratiques propres à améliorer la condition posthume des individus. Selon certaines doctrines, nous savons du moins que la mémoire et l'oubli jouent un rôle dans la destinée des trépassés. Ces doctrines sont de plusieurs types.

L'*Odyssée* nous apprend que, pour devenir capable de reconnaître Ulysse, les âmes des morts ont dû boire le sang des victimes qu'il avait immolées[71]; or l'âme d'Elpénor y parvint d'emblée, sans avoir touché au liquide revigorant[72], parce qu'il n'avait pas encore mis le pied dans la plaine de l'Oubli[73]. Dans le monde des morts, les ombres inconsistantes ont donc normalement perdu tout souvenir; celle d'Elpénor ne fait pas exception à cette règle; c'est l'âme tourmentée d'un malheureux qui n'a pas encore reçu de funérailles; avant que les rites requis aient été célébrés, elle ne pouvait pas pénétrer dans l'Hadès où elle aspirait à trouver sa place et à gagner la paix, fût-ce au prix d'une sorte d'inconscience[74].

L'existence d'une plaine infernale de l'Oubli est attestée par de nombreuses sources[75]; or Platon lui assigne une autre fonction que le scholiaste d'Homère. Pour lui l'oubli ne frappe pas les âmes au début de leur séjour dans l'au-delà; conscientes, elles y subissent des châtiments proportionnés aux fautes qu'elles ont commises, y obtiennent des privilèges à la mesure des mérites dont elles ont fait preuve, lors de leur dernière existence terrestre. Au terme d'une longue période, elles sont invitées à choisir le modèle de l'être corporel où elles vont se réincarner puis, avant de quitter le monde des morts, elles y traversent la plaine désertique de l'Oubli. Parvenues sur les rives du fleuve Amélès, le fleuve d'Insouciance qui la traverse, elles s'y désaltèrent et perdent alors seulement le souvenir de tout ce qu'elles ont vécu, de tout ce qu'elles ont appris dans l'au-delà. Elles commenceront ainsi leur nouvelle existence corporelle dans l'ignorance de leur vraie nature mais cette ignorance sera plus ou moins profonde, selon la

[70] Dans les oraisons funèbres prononcées au 4e s. pour des citoyens tombés à la guerre, les orateurs n'évoquent pas le sort dont ils jouissent dans l'au-delà pour justifier leur sacrifice ou consoler leurs proches, mais proclament: ils survivront dans le grand souvenir qu'ils ont laissé; contre une âme mortelle, ils ont échangé une gloire impérissable (Démosthène 60, 32; Hypéride 6, 27; 29–30; cf. Périclès *ap*. Thucydide 2, 43).

[71] Homère, *Od.* 11, 152–153.

[72] Homère, *Od.* 52–80.

[73] Schol. Homère, *Od.* 11, 51.

[74] Cf. âme de Patrocle, Homère, *Il.* 23, 1–107.

[75] E.g. Aristophane, *Ran.* 186.

quantité d'eau qu'elles auront bue[76]. On devine qu'elles s'y comporteront par conséquent d'une manière plus ou moins favorable à l'amélioration de leur destinée future.

Selon Platon, la plaine infernale de l'Oubli est traversée par un fleuve auquel les âmes viennent boire et l'eau de ce fleuve est précisément ce qui leur fait perdre tout souvenir. D'une manière un peu différente, d'autres documents associent aussi le symbole d'une eau au fonctionnement de la mémoire. Des lamelles d'or trouvées en Italie et en Grèce dans plusieurs tombes conservent le texte d'instructions destinées au mort[77]. Dans son cheminement infernal, l'âme rencontrera deux sources; elle doit éviter la première mais s'approcher de la seconde dont l'eau provient du lac de Mémoire. Des gardiens la protègent; en prononçant une formule donnée par le texte de la lamelle, le mort leur adressera une prière, pour obtenir d'eux qu'ils lui donnent à boire de cette eau bénéfique. Grâce à cela, il bénéficera d'une condition supérieure à celle qui est impartie aux autres âmes. Cette condition est qualifiée d'héroïque dans l'une des inscriptions qui mentionnent la source de Mémoire en toutes lettres[78]; elle est qualifiée de divine par d'autres tablettes moins explicites quant à la géographie infernale[79]. Les deux formulations doivent être rapprochées d'une troisième, exprimant l'idée que l'âme du privilégié échappera bientôt à l'obligation de se réincarner[80].

Les lamelles ne donnent pas le nom de la seconde source: puisqu'elle est opposée à celle de Mémoire, il y a lieu de penser qu'elle déverse une eau d'oubli, semblable à l'eau du fleuve Amélès de Platon. Nous trouvons une source d'Oubli et une source de Mémoire à Lébadée, près de l'antre de Trophonios. Avant d'y descendre pour interroger le dieu, le consultant doit boire à la première pour oublier ses préoccupations, puis à la seconde pour conserver le souvenir de ce qu'il va apprendre[81]. Nous ne pouvons évidemment pas assimiler sans autre le parcours du consultant à celui de l'âme dans le monde infernal[82]. L'exemple de Lébadée nous apprend pourtant que l'opposition source

[76] Platon, *Resp.* 10, 614b–621b.

[77] *Orphicorum Fragmenta* 32 Kern = *Die Fragmente der Vorsokratiker* 1 B 17–20 Diels-Kranz. Après la publication de ces ouvrages, une lamelle semblable a été trouvée à Pharsale: cf. Verdelis, *Archaiologikè Ephemerís* 1950–1951, p. 99.

[78] *Orphicorum Fragmenta* 32a, 11 Kern = 1 B 17, 11 DK.

[79] *Orphicorum Fragmenta* 32c, 10; 32g, 4; 32f, 4 Kern = 1 B 18, 10; 18a, 4; 20, 4 DK.

[80] *Orphicorum Fragmenta* 32c, 6 Kern = 1 B, 18,9 DK.

[81] Pausanias 9, 39,8.

[82] Il arrive pourtant que les Grecs associent l'antre de Trophonios et le monde des morts. Alors qu'il se trouvait dans l'antre, un personnage mentionné par Plutarque aurait appris, dans une vision, la configuration générale de l'univers et la destinée des âmes (Plutarque, *de gen. Socr.* 590a–592b).

de Mémoire / source d'Oubli est bien présente dans la conscience hellénique et peut confirmer ainsi l'identification de la seconde des sources mentionnées par les textes funéraires.

Comme nous venons de le constater, les deux types de documents qui associent des eaux infernales au fonctionnement de la mémoire se réfèrent à la métempsychose: c'est principalement pour ceux qui professent cette doctrine que le souvenir et l'oubli paraissent influencer la destinée de l'âme d'une manière décisive. Or deux philosophes de la métempsychose se caractérisent par une mémoire exceptionnelle. Lors de sa première incarnation, celui qui devait être un jour Pythagore fut invité à prononcer un vœu; il exprima le souhait de conserver souvenir de tout ce qu'il allait vivre en ce monde et dans l'autre: les dieux l'exaucèrent et, lorsqu'il fut sur la terre sous le nom que nous lui connaissons, il se rappelait toutes ses existences précédentes[83]. Empédocle eut le même privilège[84]. Or les disciples de Pythagore voyaient en lui un être supérieur, situé à mi-chemin entre les hommes et les dieux[85]; Empédocle se présentait lui-même comme un dieu[86]. Celui qui garde le souvenir de ses passages alternés dans le monde des vivants et dans celui des morts semble donc accéder à une condition voisine de la condition divine. Si nous songeons à l'enseignement que les lamelles d'or nous donnent sur ce point, nous seront enclins à voir en lui une âme prête à ne plus s'incarner.

Serait-il imprudent de rappeler, dans ce contexte, l'attention que l'on a vouée à la mémoire dans certains cercles pythagoriciens? Chaque jour à son réveil, le disciple devait se rappeler d'une manière détaillée tout ce qu'il avait vu, entendu et fait la veille, du matin jusqu'au soir; il était souhaitable que d'une manière progressive, il remonte ainsi par la pensée de plus en plus haut dans le passé[87]. Cette culture de la mémoire avait sans doute une valeur propédeutique, pour faciliter ensuite au philosophe l'apprentissage de la science. Mais était-ce sa seule fonction? Ne devait-elle pas aussi préparer l'âme à ne plus oublier ce qu'elle fut?

Quoi qu'il en soit ces différents témoignages semblent impliquer une doctrine que nous pourrions schématiser de la façon suivante: c'est un oubli qui assujettit l'âme à l'obligation de s'incarner. En fait, d'après Platon, un oubli contribua jadis à la chute qui l'éloigna du monde des idées[88]. Au contraire, la mémoire de ses incarnations successives, celle

[83] Héraclide du Pont *ap*. Diogène Laerce 8, 4; cf. Empédocle 31 B, 129 DK.
[84] Empédocle 31 B, 115, 13–14; 117 DK.
[85] Jamblique, *V.P.* 31 = *Pitagorici*, t. I, p. 34 Timpanaro-Cardini.
[86] Empédocle 31 B, 112 DK.
[87] Pythagoreische Schule 58 D 1, t. I, p. 467 sq. DK.
[88] Platon, *Phaedr*. 248c.

des expériences qu'elle a faites dans le monde des morts, contribuent à lui rappeler sa condition première, à lui donner une conscience nouvelle de sa vraie nature, et favorisent ainsi son retour dans le lieu dont elle est originaire.

## Bibliographie

Boyancé, Pierre. 1937. *Le culte des Muses chez les philosophes grecs*. Paris: De Boccard.
Brelich, Angelo. 1969. *Paides e Parthenoi*. Rome: Ateneo.
Burkert, Walter. 1985. Herodot über die Namen der Götter: Polytheismus als historisches Problem. *Museum Helveticum* 42: 221–132.
Derenne, Eudore. 1930. *Les procès d'impiété intentés aux philosophes d'Athènes*. Liège et Paris.
Deubner, Ludwig. 1932. *Attische Feste*. Berlin: H. Keller.
Martha, Jules. 1882. *Les sacerdoces athéniens*. Paris: Bibliothèque des écoles françaises de Rome et d'Athènes 26.
Mazon, Paul. 1914. *Hésiode. Les Travaux et les Jours, édition et commentaire*. Paris: Les Belles Lettres.
Parke, Herbert William and Donald Ernest Wilson Wormell. 1956. *The Delphic Oracle*, 2 vols. Oxford: Blackwell.
Pelekidis, Chrysis. 1962. *Histoire de l'éphébie attique*. Paris: De Boccard.
Samter, Ernst. 1901. *Familien Feste der Griechen und Römern*. Berlin: G. Reimer.
Samter, Ernst. 1911. *Geburt, Hochzeit und Tod*. Leipzig: Teubner.
Sokolowski, Franciszek. 1955. *Lois sacrées de l'Asie Mineure*. Paris: De Boccard.
Sokolowski, Franciszek. 1962. *Lois sacrées des cités grecques, Supplément*. Paris: De Boccard.
Sokolowski, Franciszek. 1969. *Lois sacrées des cités grecques*. Paris: De Boccard.
Stengel, Paul. 1920. *Kultusaltertümer*. Münich: Beck.
West, Martin L. 1971. *Hesiod, Theogony, edited with Prolegomena and Commentary*. Oxford: Clarendon Press.

DAVID BOUVIER

# L'aède et l'aventure de mémoire:

## Remarques sur le problème d'une dimension religieuse de la mémoire dans l'*Iliade* et l'*Odyssée*[1]

Aux origines de ce que nous appelons la poésie grecque, le problème d'un rapport entre la religion et la mémoire est posé par l'*Iliade* et l'*Odyssée*.

Il est, dans les études sur la religion grecque, un courant qui, indigné par l'immoralité des dieux homériques, a voulu refuser aux poèmes d'Homère une dimension véritablement religieuse; jaloux, vindicatifs, adultères, susceptibles, ignorants de la morale, incapables d'enseigner à l'homme la raison d'une existence faite d'épreuves, les dieux de l'*Iliade* et de l'*Odyssée* appartiendraient uniquement à la mythologie et c'est en vain que l'on chercherait dans des poèmes aussi peu religieux les fondements d'une théologie[2].

Toutefois, empressées à faire le procès de l'impiété d'Homère, ces études commettent l'erreur d'oublier, trop facilement, une divinité qui est pourtant reine de mémoire: la Muse, cette fille de Zeus invoquée au début du poème[3].

S'ils se présentent à nous comme des textes écrits, si effectivement, comme on le reconnaît de plus en plus aujourd'hui, ils portent la marque d'un travail de l'écriture, on ne saurait remettre en cause, depuis les travaux de M. Parry, que les poèmes de l'*Iliade* et de l'*Odyssée* sont, en même temps que le départ d'une littérature écrite,

[1] Cette étude doit beaucoup aux conseils de Philippe Borgeaud, André Hurst, Nicole Loraux, Pietro Pucci, Jean Rudhardt et Jean-Pierre Vernant: à tous je tiens à exprimer ma reconnaissance.

[2] Dodds (1977), p. 12, convaincu du caractère religieux de l'*Iliade*, dénonce ce courant et donne une rapide bibliographie à laquelle on se reportera. Pour une critique de l'impiété d'Homère aux temps des Grecs, cf. Xénophane, F. 1 et 11 Diels-Kranz (entre autres) où Xénophane, condamnant Homère et Hésiode, rappelle «qu'il faut utiliser sa mémoire et sa force à des fins morales». Sur Xénophane critique d'Homère, cf. Svenbro (1976), pp. 98–107. Voir aussi Clément d'Alexandrie, *Protreptique*.

[3] La question de l'invocation à la Muse ou aux Muses (le singulier alternant avec le pluriel) fait l'objet d'une bibliographie impressionnante. Citons seulement Accame (1963); Detienne (1981), pp. 9 et ss. et Simondon (1982), pp. 103–28.

l'aboutissement de toute une tradition orale[4]. Les poèmes d'Homère sont aussi et surtout ces œuvres que, durant des siècles, a élaborées et, sans cesse, réinventées la mémoire des aèdes.

## *L'œuvre de mémoire*

Du XII^e^ au VIII^e^ siècle, l'histoire de la Grèce a été celle d'une civilisation orale soucieuse de n'oublier ni ses dieux ni les exploits de ses ancêtres. Et, dans ce monde sans écriture, il ne pouvait y avoir pour célébrer les noms et les faits «mémorables» qu'une poésie portée et «créée» par la mémoire[5]. Loin de répéter le mot à mot exact d'un récit appris par cœur, l'aède compose un chant dont l'improvisation exige une technique de mémorisation: guidé par le rythme des hexamètres, aidé par un répertoire de formules remontant à un passé lointain et faites pour entrer dans la musique de ses vers, connaissant les thèmes épiques, l'aède est le serviteur d'un art sans âge qui fait parler la mémoire[6]; une mémoire qui suppose une divinité, puisque, au début de son chant, ses premiers vers sont pour invoquer la Muse et la prier de chanter les exploits des héros[7].

La question est alors de comprendre pourquoi, dans l'histoire d'une tradition orale à laquelle renvoient l'*Iliade* et l'*Odyssée*, l'œuvre de mémoire s'est voulue, en cédant la parole à la Muse, «œuvre religieuse».

## *Mourir pour devenir «mémorable»*

Au chant XXII de l'*Iliade*, Hector, le défenseur de Troie, est face à Achille; il n'y a pour lui plus aucune chance d'échapper à une mort que le sort a fixée. Pourtant le héros va se jeter de toutes ses forces contre son ennemi. Au terme de son destin, son dernier élan veut sauver quelque chose de plus essentiel que la vie; quelque chose qui, à ses yeux, peut donner un sens à son existence et, donc, lui apporter quelque raison d'accepter la mort qui l'attend. «Et voici maintenant le Destin qui me tient. Eh bien! non, je n'entends pas mourir sans lutte ni sans

[4] Cf. entre autres: Nagy (1979), pp. 1–25; Pucci (1982); Strauss Clay (1983), pp. 243–6; Schein (1984), pp. 2–13 et Vidal-Naquet (1984), p. 20. Voir aussi Austin (1975), chap. 1 et Calame (1983).

[5] Svenbro (1976), pp. 11–35 et Detienne (1981), pp. 13–18.

[6] Finley (1978), pp. 29–59.

[7] Sur le caractère religieux de l'invocation cf. Accame (1963), pp. 257 et ss.; Strauss Clay (1983), pp. 9 et ss. Sur le rapport de la Muse et de la mémoire, cf. Lanata (1963), p. 3 qui donne une rapide bibliographie sur la question et surtout Rudhardt dans le présent volume.

gloire *(kléos)*, ni sans quelque haut fait dont le récit parvienne aux hommes à venir» *(essoménoisi puthésthai)*[8].

A l'heure de la mort, la dernière force d'Hector, sa dernière volonté est pour mourir glorieusement, pour conquérir la gloire *(kléos)* et devenir cette figure dont les hommes de demain voudront se rappeler le geste exemplaire. Ultime aspiration qui implique et suppose – pour perpétuer le souvenir de ce geste – une mémoire immortelle[9]. Dans le monde héroïque, que décrivent les poèmes homériques, l'espoir d'être chanté par la voix des aèdes, de devenir *aoídimos*[10], se révèle être, au terme de son existence, la plus grande exigence du héros et le fondement de ce qu'on peut considérer comme sa «religion»[11].

Pour comprendre l'ambition d'Hector, il faut toutefois rappeler que l'homme de l'*Iliade* et de l'*Odyssée* n'a rien à attendre ni à espérer de sa vie dans l'au-delà[12]. Il n'y a chez Homère aucun dieu appelé à juger la conscience des hommes pour décider de leur entrée au paradis ou de leur chute en enfer et le héros peut vivre sans craindre d'avoir à payer, après sa mort, les fautes et les péchés de sa vie mortelle. Cela, E.R. Dodds le dit très bien lorsqu'il fait remarquer que l'homme homérique

[8] *Iliade*, XXII, 303–305. Sur ce passage, cf. Redfield (1984), p. 60 qui reconnaît dans les derniers mots d'Hector (*essoménoisi puthésthai*) une épitaphe courante en rapprochant ce passage de *Odyssée*, 11, 76. Cf. aussi Vernant (1980), p. 233. Pour les citations de l'*Iliade* et de l'*Odyssée*, nous utilisons les traductions de P. Mazon et V. Bérard dans leurs éditions des *Collections Universitaires de France*.

[9] Notre étude doit beaucoup ici à Redfield (1984), pp. 57–61 et à Vernant (1979); (1980), pp. 219–22; (1981), pp. 52–5. Sur la notion de *kléos* et son importance dans la tradition épique indo-européenne voir les indications bibliographiques données par Segal (1983), p. 22, note 1. Il convient de distinguer différents niveaux de *kléos* dans la poésie homérique: *kléos* peut ne désigner qu'un bruit, une rumeur qui s'attache à un événement, à un objet ou à un personnage devenu sujet de conservation (*Il.*, XI, 21; 227; XIII, 364; VII, 451; VIII, 192; *Od.*, 16, 461; 23, 13). Par suite, *kléos* désigne la réputation, le renom qu'une personne mérite pour son comportement ou ses actes exemplaires: action d'éclat sur le champ de bataille (*Il.*, V, 3; XVIII. 121), victoire aux jeux (*Od.*, 8, 45), talents oratoires ou bon sens (*Il.*, XXIV, 200–202; *Od.*, 13, 299). Pour le héros, il s'agit bien sûr de devenir le sujet d'une renommée qui le loue. Le poète, lui, revendique de pouvoir immortaliser le *kléos*. Cette conscience d'une fonction d'immortalisation deviendra tout à fait remarquable dans la poésie de Pindare; sur ce point cf. Simondon (1982), pp. 122–127. Sur la façon dont ce thème est repris chez un historien comme Thucydide, cf. Loraux (1975).

[10] *Il.*, VI, 358 où *aóidimoi essoménoisi* répond au propos d'Hector *essoménoisi puthésthai*, cf. *supra* note 7 et *infra* note 34. Voir aussi *Il.*, VI, 357–8.

[11] Marg (1971), p. 20, relève que la gloire qui se prolonge au-delà de la mort est la plus grande exigence du héros homérique. Voir aussi Dodds (1977), pp. 28–9 et Vernant (1979), p. 1379 et (1980), p. 219.

[12] Vernant (1981), p. 56, relève justement que, dans sa fonction de mémoire collective, l'épopée s'adresse toujours aux vivants: «des morts chez les morts, il n'y a rien à dire; ils sont de l'autre côté d'un seuil que personne ne peut franchir sans disparaître, que nul mot ne peut atteindre sans perdre tout sens . . .»

appartient à une «civilisation de honte» (a shame-culture) et non à une «civilisation de culpabilité» (a guilty-culture)[13].

Dans une «civilisation de honte», comme celle de la Grèce ancienne, l'homme n'a pas à supporter le regard critique d'un dieu omniprésent. Mais c'est au jugement de l'opinion publique que l'individu se sent constamment soumis: chacun existe, ici, en fonction d'autrui ou, pour être plus précis, en fonction de la réputation qu'il a auprès d'autrui[14].

C'est un principe fondamental de la société homérique que l'individu soit identifié à sa réputation, à son *kléos*: ce renom qui s'attache à son nom pour le définir et constituer sa véritable identité sociale[15]. L'homme d'Homère ne vaut jamais que ce que vaut son *kléos*. Pour reprendre les mots de E.R. Dodds, on dira que «la plus grande force morale que connaisse le héros n'est pas la crainte de Dieu, mais le respect de l'opinion publique»[16]. C'est bien parce qu'il se soucie du jugement des Troyens, parce qu'il entend mériter leur éloge qu'Hector se décide à affronter Achille[17].

Mais ici, l'éthique se trouve inscrite dans une perspective «métaphysique»: l'acte exemplaire – sujet de louange – est aussi et surtout cet exploit par lequel le héros s'assure le renom *(kléos)* dont les hommes à venir voudront commémorer la gloire; un renom qui, au-delà de la mort, prolongera la mémoire de son nom et lui vaudra de ne pas sombrer dans l'oubli. M. Detienne, J. Redfield et J.-P. Vernant ont justement insisté sur le fait qu'en Grèce archaïque le véritable non-être est avant tout «l'oubli, le silence, l'obscure indignité, l'absence de renom»[18].

Pour le héros que la mort attend, il ne s'agit donc pas d'accéder à un monde meilleur mais de savoir qu'il pourra jouir, dans le monde mortel, d'une forme de survie; son espoir est que son geste et son nom deviennent, par leur exemplarité, l'objet d'une perpétuelle remémoration: s'il ne peut échapper à la mort, c'est à l'oubli que le héros veut surtout être soustrait. Les derniers mots d'Hector sont comme une prière adressée à la mémoire. Pour donner tout son sens à la revendication du héros, pour justifier son exploit, la mémoire de l'aède doit donc, nécessairement, se faire l'écho et le support d'une voix immortelle; l'invocation à la Muse est, en fait, ce pari de faire parler une divinité qui donnera tout son sens au geste héroïque et apportera, ainsi,

[13] Dodds (1977), pp. 28–29.
[14] Detienne (1981), pp. 18–21.
[15] Redfield (1984), pp. 57–61.
[16] Dodds (1977), p. 28.
[17] *Il.*, XXII, 105. Cf. aussi: VI, 442 et XV, 561 et ss.
[18] Detienne (1981), pp. 20–27; Redfield (1984), p. 58–9 et Vernant (1980), p. 219 et p. 233.

une réponse au problème de la mort. Ou tout au moins, est-ce là le pari de l'*Iliade*!

## *L'histoire du héros inoubliable*

Il y a exprimée dans l'*Iliade* une nécessaire corrélation entre la mort et le *kléos*, une corrélation dont Achille lui-même nous rappelle, au chant IX, les données: s'il reste combattre à Troie, sa mort est certaine mais il y gagnera une «gloire impérissable» (*kléos áphthiton*); en revanche, s'il quitte Troie pour retourner dans sa patrie, il sera privé de la gloire (*kléos*), mais pourra jouir d'une longue vie[19].

Enjeu de l'*Iliade*, le «renom impérissable» est cet idéal qui pousse et entraîne le héros vers sa mort. Poème qui immortalise Achille, l'*Iliade* n'en est pas moins ce chant qui implique et suppose que le héros va mourir: c'est bien dans l'histoire qui exige sa mort qu'Achille acquiert finalement un éternel renom.

Au début de l'*Iliade*, c'est parce qu'Agamemnon porte atteinte à son honneur qu'Achille donne libre cours à sa colère. Le choix qu'il fait, alors, de refuser sa force aux Grecs est motivé par le souci qu'il a d'être reconnu comme le meilleur des Achéens. Mais son acharnement à s'exclure des rangs grecs, la passion qu'il a de vouloir qu'on admette sa valeur irremplaçable, n'est pas sans conséquence: Patrocle, l'inséparable ami du Péléïde, va trouver la mort en portant aux Grecs le secours qu'Achille leur refusait. Mort de Patrocle qui annonce et entraîne celle d'Achille: afin de venger Patrocle et «conquérir une noble gloire» (*kléos esthlòn*)[20], le héros de l'*Iliade* fait sien le destin qui, après sa victoire sur Hector, lui réserve la mort[21].

L'histoire de l'*Iliade* est ainsi celle d'un héros prêt à assumer le destin qui l'engage à mourir pour sauver son renom, son *kléos*. Et comme s'il s'agissait de souligner mieux encore que c'est finalement à son épopée qu'Achille dédie sa vie, l'*Iliade* se plaît à suggérer une analogie entre le nom du héros pour lequel Achille accepte de mourir, «Patrocle» (*Pátroklos*/*Patrokléēs*), et les *kléa* de ces «hommes d'autrefois» (les

[19] *Il.*, IX, 410–6. Cf. aussi les mots de Sarpédon en XII, 322–8.

[20] *Il.*, XVIII; 121. Sur la mort de Patrocle annonçant celle d'Achille, cf. entre autres Mühlestein (1972), pp. 85–8.

[21] La mort d'Achille après sa victoire sur Hector est annoncée en XVIII, 95–6; XIX, 416–7; XXII, 358–60 ainsi qu'en IX, 410 et ss. et XXI, 275–8.

*patéres*) chantés par la mémoire des aèdes[22]. L'amitié que le héros de l'*Iliade* accorde à «Patrocle» est ainsi comme la marque d'un destin qui se place entièrement sous le signe des *kléa* des pères. Tout le comportement d'Achille, ses mouvements de colère et ses larmes, son attachement à l'honneur et sa fougue au combat, n'ont d'explication que s'il existe une mémoire capable, en se répétant de génération en génération et en s'éternisant dans le temps humain, de soustraire à un oubli plus redouté que la mort l'exploit héroïque.

Mais en rappelant qu'Achille meurt pour son renom, en chantant le destin d'un héros qui se rend «inoubliable», c'est le poème d'Achille qui se veut à son tour inoubliable: l'histoire d'Achille, et c'est là le pari de l'*Iliade*, ne peut avoir de sens que si elle devient l'objet d'une mémoire immortelle, que si l'aède qui chante Achille peut se faire le porte-parole éphémère d'une voix qui échappe au temps.

En oubliant d'invoquer la Muse au début de son poème, l'aède oublierait le sens même de l'acte héroïque, ce *kléos* impérissable qui apporte au problème de la mort une forme de solution. La dimension «métaphysique» de l'*Iliade* est ainsi garantie par l'invocation à la Muse, par cette prière qui nous invite à reconnaître, dans la parole supportée par la mémoire mortelle de l'aède, le pouvoir d'une divinité. Ainsi, dans l'Iliade, à l'angoisse éprouvée par le héros d'être privé de *kléos*, d'être oublié, répond nécessairement la crainte, pour l'aède, d'oublier son chant.

### *La peur d'oublier*

«Et maintenant, dites-moi, Muses, habitantes de l'Olympe – car vous êtes des déesses: partout présentes, vous savez tout; nous n'entendons qu'un bruit, nous, et nous ne savons rien – dites-moi quels étaient les guides, les chefs des Danaens. La foule, je n'en puis parler, je n'y puis mettre de nom, eussé-je dix langues, dix bouches, une voix que rien ne brise, un coeur de bronze en ma poitrine, à moins que les filles de Zeus qui tient l'Egide, les Muses de l'Olympe ne me rappellent elles-mêmes (*mnēsaíat(o)*) ceux qui étaient venus sous Ilion»[23]. Au chant II de

[22] Voir ici l'analyse de Nagy (1979), pp. 102–17. Dans un travail à venir, nous entreprenons de concilier à l'interprétation que Nagy donne du nom de Patrocle les très pertinentes remarques de H. Mühlestein qui, avec raison, comprend «Patrocle» comme «celui qui écoute» («kluêin») son «père» («patròs»); cf. Mühlestein (1969), pp. 80–4; (1972), pp. 84–5 et (1981), p. 91. Il revient à H. Mühlestein d'avoir dans de nombreux articles dégagé l'intérêt qu'il y a à étudier les noms propres dans la poésie homérique. Voir, par ailleurs, sur le travail de Nagy, Loraux (1981).

[23] *Il.*, II, 484–92. Pour les divers procédés par lesquels se manifeste, dans l'*Iliade*, la conscience qu'a le poète «de sa compétence propre, de sa position privilégiée et des pouvoirs souverains de la poésie», voir Frontisi (1986), pp. 15 et ss.

l'*Iliade*, l'aède, déjà engagé dans son chant, vient de renouveler l'invocation aux Muses; c'est maintenant l'énumération des innombrables forces grecques et troyennes qu'il s'agit de dire: morceau difficile qui requiert tout un art de la mémoire et apparaît comme un véritable exercice de mnémotechnique[24]. Durant plus de 260 vers vont se succéder noms de héros, de villes, de lieux, nombres de guerriers et nombres de vaisseaux; durant plus de 260 vers, c'est tout un savoir sur le monde de la Grèce et de la Troade qui se trouve inventorié par la mémoire.

Toutefois, au milieu de ce catalogue, l'aède s'arrête sur le nom d'une ville, Dôrion, pour évoquer un épisode plein de sens: Dôrion fut jadis le lieu où les Muses «mirent fin au chant» de Thamyris[25]. Le malheureux aède s'était targué de pouvoir, au concours du chant, surpasser les Muses elles-mêmes; irritées, les filles de Zeus pour le punir «le rendirent aveugle (*pēròn*), lui enlevèrent l'art divin du chant et lui firent oublier (*eklélathon*) son habileté à jouer de la cithare[26]».

Au milieu du catalogue des forces armées et des vaisseaux, l'évocation de la mutilation de Thamyris révèle toute la susceptibilité des Muses et l'envers redoutable de leur pouvoir: aux filles de Zeus invitées à rappeler à l'aède son chant s'opposent ici ces Muses capables de lui ravir et de lui faire oublier (*eklélathon*) l'art divin du chant. Au moment central d'une véritable démonstration de mnémotechnique, dans ce qui est son plein élan, la mémoire de l'aède se trouve ainsi comme hantée et marquée par la peur de l'oubli. Sans être un épisode fondamental de l'*Iliade*, l'anecdote de Thamyris justifie pleinement l'invocation faite aux Muses. Astreint à chanter la geste de héros inoubliables, l'aède ne peut, au cours de son chant, que redouter l'oubli et qu'espérer le secours de la divinité qui, tout à la fois, lui rappellera son poème et lui révélera ainsi une histoire qui échappe au temps.

Quel que soit le rôle joué par l'écriture dans l'élaboration de l'*Iliade*, il reste évident que le poème d'Achille implique et exige la mémoire d'une Muse immortelle.

[24] Detienne (1981), pp. 13–4.

[25] *Il.*, II, 595. Le nom de Dôrion doit être rapproché de l'adjectif *dṓrios*, dorien, dit notamment du mode musical dont Thamyris passait pour l'inventeur.

[26] *Il.*, II, 594–600.

### *Calypso, rivale de la Muse ou la mémoire mise en péril*

On l'a dit avec raison, «le poète de l'*Odyssée* est, entre autres, le premier grand critique de l'*Iliade*»[27]; tant il est vrai que le poète de l'*Odyssée* s'est soucié de confronter au destin d'Ulysse celui d'Achille. Et c'est jusque dans sa dimension «religieuse», jusque dans le rôle de la Muse, que l'*Odyssée* va remettre en cause l'*Iliade*. Le poème d'Ulysse est une œuvre hantée par le problème d'une mémoire sans cesse menacée par l'oubli. Dans l'*Odyssée*, la Muse va rencontrer sa rivale.

Si tout le propos de l'*Iliade* est d'assurer à son héros un «renom impérissable», l'*Odyssée* est d'emblée marquée par une intrigante réticence à prononcer le «nom» de son héros. Eustathe, déjà, dans son commentaire, avait été frappé par le fait que, dans son invocation, l'aède de l'*Odyssée* a tu le nom de cet homme «aux mille tours» que la Muse est invitée à «dire»[28].

Mais, davantage, c'est tout le début de l'*Odyssée* qui est consacré à dénoncer l'impossibilité – provisoire bien sûr – qu'il y a à «dire» le renom (*kléos*) d'Ulysse.

Alors que tous les autres héros de la guerre de Troie sont ou morts ou déjà rentrés dans leur patrie, seul Ulysse est encore à attendre le retour. Dans son île, nombril des mers, la nymphe Calypso le retient prisonnier. Consumant tout le temps de ses jours dans le regret du retour, Ulysse ne vit plus que pour le faible espoir de revoir sa terre natale et les siens. Mais la toute divine Calypso, brûlant de faire de son hôte forcé son époux, use de mots doux et charmeurs, tout pleins d'une séduction qui n'a pour objet que d'«effacer Ithaque de sa mémoire»: «sans cesse en litanies de douceurs amoureuses, elle le charme pour qu'il oublie Ithaque (*hópōs Ithákēs epilḗsetai*)[29]». Et ce chant qui invite Ulysse à oublier Ithaque lui promet, par ailleurs, de le rendre «immortel et jeune à tout jamais»[30].

Dangereuses paroles que celles de Calypso; elles proposent au héros d'oublier tout ce qui sera le sujet de son épopée: les épreuves d'un retour dans le monde qui est le sien. Loin de perpétuer dans le temps humain le souvenir et les exploits d'Ulysse, loin de célébrer son renom, la voix de Calypso invite le héros à une immortalité qui ne peut être qu'un éternel oubli de sa personne. La promesse d'une vie sans âge, le refus

[27] Redfield (1981), p. 65. Pour une confrontation de l'*Iliade* et de l'*Odyssée*, cf. aussi Pucci (1979); (1982); (1986). Segal (1986) a plus particulièrement étudié la différence entre la conception iliadique et la conception odysséenne du *kléos*.

[28] Eustathe, 1381, 20–5. Sur la difficulté à dire le nom d'Ulysse dans l'*Odyssée*, cf. Pucci (1982), pp. 49–53 et Strauss Clay (1983), pp. 25 et ss.

[29] *Od.*, 1, 56–7 et 5, 61.

[30] *Od.*, 5, 136; 209; 7, 257; 8, 453; 23, 336

du retour obéissent à une seule et même tentative qui veut soustraire Ulysse au temps et au monde des hommes.

Une très belle étude de J.-P. Vernant a justement souligné que, chez Calypso, Ulysse court le risque d'avoir à «renoncer à sa carrière épique»[31]. En cédant aux accents séducteurs du chant de la nymphe, le héros «aux mille tours» sombrerait vivant dans la nuit de l'oubli et ne serait jamais plus que cette figure qui hante son fils: figure définitivement «indicible» et disparue «sans gloire» (*akleiôs*).

Cependant qu'Ulysse est retenu depuis sept ans par Calypso, Télémaque reçoit, à Ithaque, la visite d'Athéna déguisée en Mentès. Plus encore que la mort d'Ulysse, le jeune homme pleure, alors, l'impossibilité de reconnaître le *kléos* d'un père dont «les os blancs, imagine-t-il, pourrissent à la pluie quelque part sur la terre, à moins qu'en mer ils ne roulent sous le flot»[32]: «Ah! je m'affligerais moins de sa mort, si je savais qu'il eût péri avec ses compagnons au pays des Troyens, ou dans les bras des siens, une fois la guerre achevée; car les Panachéens lui auraient élevé une tombe et il aurait laissé à son fils une grande gloire (*méga kléos*)! Mais, les Harpyies l'ont enlevé sans gloire (*akleiôs*), il est parti invisible et ignoré (*áistos* et *ápustos*) ne me laissant que la douleur et les sanglots»[33].

Bien plus que l'absence d'Ulysse, les mots de Télémaque pleurent un père qu'aucun aède ne saurait plus chanter: enlevé sans gloire (*akleiôs*) par les Harpyies, privé de *kléos*, d'Ulysse, il n'y aurait plus à constater que «l'invisibilité» et «l'indicibilité». «Aistos» signifie tout à la fois «invisible», «inconnu», «obscur» et «sans gloire»[34]; *ápustos* qualifie le statut d'un inconnu dont nul récit, nulle histoire, ne peut «parvenir aux hommes de demain» (*essoménoisi puthésthai*)[35].

Mais la figure d'un Ulysse indicible qui hante Télémaque est d'autant plus inquiétante qu'elle se confond avec l'image d'un corps, privé de funérailles, qui se décompose et se salit d'une pourriture qui le souille. Si le défaut de la toilette funéraire interdit le départ du mort dans l'au-delà, le refus d'une sépulture qui constitue son mémorial le prive d'un *sêma* qui, dans le monde des vivants, aurait été le signe de son

[31] Vernant (1982), p. 17. Cf. aussi Simondon (1982), p. 139.

[32] *Od.*, 1, 161–2.

[33] *Od.*, 1, 236–43. C'est surtout dans la légende de Phinée que les Harpyies jouent un rôle important, cf. Apollonios de Rhodes, *Argonautiques*, II, 223 et ss.

[34] Cf. par exemple Apollonios de Rhodes, *Argonautiques*, IV, 746 et Quintus de Smyrne, *Posthomériques*, II, 428.

[35] Remarquons ici que *á-pustos* est la forme privative de l'adjectif verbal de *punthánomai* (aor. th.: *puthésthai*). Littéralement est donc *ápustos*, impossible à connaître, celui qui ne jouit ni d'un *sêma* (tombeau) ni d'un *kléos* qui lui vaudrait d'être connu par les générations à venir: *essoménoisi puthésthai*. Cf. *supra* notes 7 et 9.

existence[36]. Condamné à l'oubli, l'Ulysse de Télémaque est aussi voué au non-être. Même s'il ignore l'existence de Calypso, le fils d'Ulysse pressent, à travers ses mots, tout le danger incarné par la nymphe divine; un danger que révèle le nom même de Calypso.

Tiré du verbe *kalúptein*: «envelopper», «dissimuler», le nom de *Kalupsṓ* (Calypso) évoque un pouvoir d'enveloppement et de dissimulation qui est, tout à la fois, celui de l'amour et de la mort. A l'image d'Eros et de Thanatos, Calypso «enveloppe» et «dissimule»[37]. Et, ici, il faut souligner l'équivalence dans la pensée homérique des sens de «cacher» et «faire oublier»[38]. Ainsi, dans le même temps qu'elle tente, par son chant séducteur, de faire oublier (*epilḗsetai*) Ithaque au héros, Calypso se révèle comme celle qui «dissimule» et rend «invisible» (*áistos*) son hôte. Et l'on peut rappeler une maxime chère à Pindare qui oppose au chant poétique le risque de voir l'oubli et le silence «envelopper» l'exploit héroïque: «C'est une maxime chez les hommes que, quand un exploit est accompli, il ne faut pas le laisser caché dans le silence (*sigâ kalúpsai*)[39]».

Au début de l'*Odyssée*, enveloppant le héros et l'invitant à l'oubli, Calypso est une puissance angoissante qui s'oppose à la Muse pour remettre en cause, non seulement le retour d'Ulysse, mais aussi la parole qui voudrait perpétuer et dire son *kléos*.

Si l'*Iliade* est l'œuvre d'une mémoire qui rappelle, pour lui donner un sens, le destin d'un héros soucieux de devenir «inoubliable», l'*Odyssée*, elle, entreprend de raconter l'aventure d'un héros soucieux de ne pas succomber à Calypso, soucieux de ne pas oublier la terre natale où il aspire à retourner. Si Achille a dû sacrifier à son *kléos* tout espoir de revoir la terre paternelle, Ulysse, lui, n'échappe à l'oubli et au monde de Calypso qu'en obtenant de retourner dans la terre de ses pères.

Dans l'*Odyssée*, aventure héroïque et aventure poétique vont se confondre: entre le héros qui doit résister à la séduction d'oubli pour assurer son retour et l'aède qui, par son chant, doit perpétuer la mémoire de ce retour, il y a une analogie qui fait d'Ulysse un héros à part. Mémoire d'une aventure, l'*Odyssée* se révèle aussi aventure d'une mémoire.

[36] Vernant (1979), p. 1367, relève justement que «l'épopée n'est pas seulement un genre littéraire mais est, avec les funérailles et dans la même ligne que les funérailles, une des institutions que les Grecs ont élaborées pour donner une réponse au problème de la mort». Cf. aussi Simondon (1982), pp. 85 et ss. qui, étudiant l'évolution des sens de *sêma* et de *mnêma*, montre comment la stèle funéraire (*sêma*) tend à se confondre avec le mémorial (*mnêma*).

[37] Pour la mort: *Il.*, V, 68 et XVI, 350; pour Eros, *Il.*, III, 442.

[38] Simondon (1982) p. 19.

[39] Pindare, *Néméennes*, IX, 6–7. Cf. aussi Bacchylide, III, 13–4.

## *Les nymphes et les fruits d'oubli ou le héros devenu aède*

Il y a de façon indéniable dans l'*Odyssée* le projet d'établir tout un jeu de corrélations et d'implications entre le retour du héros et le récit de ce retour. A la figure d'Ulysse voyageur, l'*Odyssée* se plaît à superposer celle d'un Ulysse narrateur de son voyage.

C'est un fait remarquable et significatif que quatre des chants centraux du poème ne font que donner la parole au héros: ainsi, durant son étape au pays des Phéaciens, dans cette terre de transition entre le monde de Calypso et celui des hommes, Ulysse se trouve invité – alors qu'il n'a toujours pas révélé son identité à ses hôtes – à écouter l'aède Démodocos chanter les exploits qui furent les siens à Troie[40]. Mais, après les chants de Démodocos, c'est à Ulysse que la parole est donnée et le héros «aux mille tours» va profiter de cette occasion pour dire son histoire et révéler, lui-même, son propre *kléos*[41].

Durant plus de 2200 vers (chants IX, X, XI et XII), l'*Odyssée* devient ainsi le récit d'Ulysse et la voix de l'aède recouvre celle de son héros. Si Ulysse commence par révéler son identité: son nom, le *kléos* attaché à ce nom et l'amour qui le lie à la terre qui est la sienne, Ithaque, tout le reste de son propos est, ensuite, pour rappeler une aventure où son identité est constamment menacée, son renom sans cesse contesté et son retour toujours compromis. Car l'histoire rappelée par Ulysse révèle une série de puissances qui, en retenant le héros dans un monde non humain, l'invitent à oublier son statut d'homme[42].

Ce sont d'abord les Lotophages, gens étranges, qui, pour tout repas d'accueil, n'ont à proposer à leurs hôtes que la nourriture du «lōtos», ce fruit d'oubli: «quiconque goûte de ce fruit doux comme le miel ne veut plus donner de nouvelles ni rentrer, mais rester là, parmi les Lotophages, à se repaître du lōtos dans l'oubli du retour» (*nóstou te lathésthai*)[43].

C'est, ensuite, Circé, cette magicienne au chant séducteur qui, aux compagnons d'Ulysse attirés par elle, «pour qu'ils oublient définitivement la terre de leurs pères» (*hína págkhu lathoíato patrídos aíēs*)[44], offre un repas soigneusement mélangé à une drogue funeste et les transforme en porcs. Circé qui, lorsqu'elle comprend que contre Ulysse prévenu par Hermès sa magie est sans effet, sait aussi recourir à son propre charme pour séduire le héros et l'inviter à s'oublier auprès

[40] *Od.*, 8, 62–83 et 374–521.

[41] *Od.*, 9, 20. Sur ce vers, voir Segal (1983), pp. 28–9.

[42] Germain (1954), p. 227 et pp. 511 et ss.; Simondon (1982), pp. 138–40. De la mémoire d'Ulysse dépend sa survie, cf. Austin (1975), pp. 139 et ss.

[43] *Od.*, 9, 94–7. Sur ce passage cf. Simondon (1982), pp. 136 et ss.

[44] *Od.*, 10, 236. Pour la magie et le pouvoir de Circé, cf. Segal (1974).

d'elle jusqu'à ce que, dans leur impatience, ses compagnons le rappellent au retour: *mimnḗskeo patrídos aíēs*[45].

Ce sont encore les Sirènes qui, depuis le rivage trop verdoyant de leur île, exhortent les navigateurs à ralentir et s'arrêter pour les écouter chanter les maux infligés aux hommes par les dieux, et, s'enrichir, ainsi, d'un savoir plus grand. Mais Ulysse saura ne pas oublier l'avertissement donné par Circé: «bien fou qui relâche pour entendre leurs chants! Jamais en son logis, sa femme et ses enfants ne fêtent son retour . . .»[46]. Pour les mortels, paysage fleuri et chants riches en savoir ne sont que le mirage trompeur du piège de l'oubli; l'île des Sirènes a son envers redoutable, un rivage jonché d'ossements et de morceaux humains tout pourrissants. A celui qui se risque à écouter leur chant, les Sirènes ravissent bien plus que la vie: en refusant à leur hôte toutes funérailles, elles le livrent à la putréfaction et le privent de la tombe et du *sêma* qui auraient dû rappeler son existence[47].

Lotophages qui «refusent de donner de leurs nouvelles», hommes transformés en porcs, os et chairs se décomposant au bout des mers, les images qui hantent le récit d'Ulysse sont celles d'êtres aux noms perdus, indicibles et privés à tout jamais de *kléos*. Mais, à trop évoquer les puissances qui ont voulu «lui faire oublier le retour à cette terre d'origine qu'est Ithaque», à trop répéter la menace qu'incarne finalement Calypso, Ulysse nous invite, par tout son discours, à nous interroger davantage sur l'enjeu de sa mémoire. Car, le héros qui a su si bien «ne pas oublier son retour» pourrait n'être, en fin de compte, qu'une image de l'Ulysse qui, aux Phéaciens, rappelle si bien le récit de ce retour. Si le héros qui a échappé au *lōtos*, à Circé, aux Sirènes et à Calypso est digne d'être loué et chanté, la mémoire de l'Ulysse qui s'adresse aux Phéaciens n'est pas moins remarquable. Qu'il suffise, pour s'en convaincre, de le voir jouer avec les mots pour fixer, lui-même, la «mémoire» de son histoire.

## *La mémoire et la «mētis» d'Ulysse*

Les mots d'Ulysse qui disent le passage chez les Lotophages font, ainsi, plus que rappeler un événement, ils nous livrent le tour («trópos»)[48] qui permettra de ne pas oublier l'histoire du «lōtos».

[45] *Od.*, 10, 472. Ce vers s'oppose à celui cité note 43.

[46] *Od.*, 12, 41–3. Sur le chant des Sirènes, voir Pucci (1979) et Kahn (1980).

[47] *Od.*, 12, 45–6.

[48] Pucci (1982), pp. 50 et ss. comprend *polútropos* dans son double sens de *polúmētis* et de *polúplangktos* et va jusqu'à proposer d'élargir ce double sens en insistant sur le sens de *trópos*: métaphore. On pourrait ainsi, selon Pucci, comprendre la *polutropía* comme cet art de la «métaphore» où Ulysse excelle.

Voyant ses compagnons tentés par le fruit fatal, Ulysse rappelle qu'il les embarqua de force «craignant qu'à manger de ces dattes d'oubli, on n'oubliât la date du retour»: *mḗ pōs tis lōtoîo phagȭn nóstoio láthētai*[49]. V. Bérard (dont nous reprenons ici la traduction) et G. Germain l'ont justement remarqué: mis au génitif, le nom du lotos (*lōtoîo*) semble, par le jeu des allitérations et des assonances, confondre en lui-même et le verbe de l'oubli (*láthētai*) et le nom du retour (*nóstoio*), lui aussi au génitif[50]. En donnant au nom du *lōtos* tout son sens, la musique du vers est ici le moyen mnémotechnique qui permet de retrouver, dans un seul mot, le résumé de tout l'épisode: le *lōtos* n'est autre que le fruit qui fait «oublier» (*láthētai*) le «retour» (*nóstoio*). S'il a su résister à l'attrait du fruit d'oubli, Ulysse, lorsqu'il s'adresse aux Phéaciens, est surtout ce narrateur *polútropos*, «aux mille tours», qui sait trouver, dans le jeu des mots, une ruse pour échapper à l'oubli. Et ce n'est pas un hasard si, aussitôt après l'anecdote des Lotophages, Ulysse se soucie de raconter un épisode qui révèle toute la «mȇtis» de son langage: sa rencontre avec le Cyclope Polyphème.

Loin d'offrir à Ulysse et ses compagnons les honneurs dus aux hôtes, le Cyclope ne leur propose que d'être dévorés par lui: à la table de ce monstre, les invités ne seront jamais qu'un repas cru. Comprenant qu'il est impossible d'exister en tant qu'homme face au Cyclope, Ulysse, pour lui échapper, recourt à une ruse qui a fait toute sa gloire: au Cyclope Polyphème qui lui demande son nom, Ulysse répond qu'il s'appelle «Personne» (*Oútis*), puis profitant du sommeil du monstre, le héros et ses compagnons enfoncent dans son œil unique un pieu; réveillé par la douleur, Polyphème est alors incapable de voir ses agresseurs et lorsqu'il crie au secours pour dire que «Personne» (ne) l'attaque par ruse ni par force, «personne» ne juge nécessaire de venir à son aide (*Od.* 9, 408). Piégé par le «non-nom» d'Ulysse, Polyphème se trouve en face d'un adversaire qu'il ne peut ni voir ni nommer, en face de «personne»[51].

Et cette opposition entre «Personne» et le Cyclope devient encore plus remarquable lorsque l'on rappelle le sens du nom de Polyphème; *Polúphēmos* signifie littéralement: 1) «dont on parle beaucoup, très renommé, célèbre», 2) «qui parle beaucoup, abondant en récit». Face au Cyclope qui a pour nom «Renommé-et-Riche-en-discours», Ulysse a compris que le mieux est de s'attribuer un nom qui n'évoque aucune réputation et ne peut faire le propos d'aucun discours: «Renommé-et-

[49] *Od.*, 9, 102.
[50] Germain (1954), p. 227.
[51] L'expression de «non-nom» est ici empruntée à Basset (1979) et à Austin (1975), p. 147.

Riche-en-discours» ne saura saisir «Personne» que l'on ne peut ni nommer ni connaître[52]. En devenant «Personne», Ulysse enlève à son adversaire la voix qui pourrait le nommer, le rendant muet comme il le rend aveugle.

Mais dans le plaisir qu'il prend à rappeler l'épisode aux Phéaciens, Ulysse une fois encore se plaît à jouer avec les mots: en grec ancien, «personne» se traduit, selon sa position syntaxique, par *oútis* ou par *mê̂ tis*. Ainsi, à l'appel de Polyphème qui a crié que *Oútis* (ne) l'attaque, les autres Cyclopes répondent-ils, dans le discours d'Ulysse, que «si *mê̂ tis* ne lui fait violence», ils n'y peuvent rien et qu'il ne peut s'agir que de quelque mal venant du grand Zeus[53]. Ulysse, pour souligner aux Phéaciens tout l'art de sa ruse, ajoute alors cette phrase clé: «je riais tout bas de voir comment mon nom et mon intelligence rusée, ma *mê̂tis*, les avaient trompés»[54]. *Mê̂tis* est dans la langue grecque le nom qui signifie l'intelligence habile et retorse, cette intelligence dont Ulysse sera le plus parfait modèle; à tel point que pour qui parle du héros *polútropos* et *polúmētis* il est parfaitement inutile de préciser qu'il s'agit d'Ulysse[55]. Si personne ne peut être sans nom, Ulysse sait toutefois rappeler à ceux qui l'écoutent qu'il est, lui, le héros que sa *mê̂tis* suffit à désigner: les mots auraient dû avertir le Cyclope que, derrière le nom de Personne, *Oútis – Mê̂ tis*, se cachait la *mê̂tis* du héros «dont les ruses sont connues de tous les hommes et dont le *kléos* monte au ciel»[56].

Face à *Polúphēmos*, le héros *polúmētis* a su dissimuler, par sa *mê̂tis*, une réputation qui l'aurait trahi; car depuis longtemps le Cyclope savait qu'un jour Ulysse viendrait lui crever son œil unique. Racontée par Ulysse, l'histoire d'une rencontre entre *Polúphēmos* et *Mê̂ tis* révèle que le héros sait, à la perfection, se dire et rappeler en la justifiant toute sa renommée.

### *La muse disparue?*

L'*Iliade* nous a convaincu que l'histoire d'Achille ne peut trouver son véritable sens que s'il existe, pour immortaliser le renom du héros, une mémoire éternelle: l'aède qui chante Achille ne saurait oublier qu'il est le porte-parole de la Muse, sa voix est au service de la divinité. Dans l'*Odyssée*, l'aède qui chante Ulysse, le héros connu pour ses discours habiles, ne résiste pas à la tentation de prêter, quatre chants durant, sa

[52] Au héros de l'*Iliade* toujours si soucieux de rappeler à ses adversaires son nom et celui de ses pères s'oppose ici un Ulysse qui cache à son ennemi sa véritable identité.

[53] *Od.*, 9, 410–2.

[54] *Od.*, 9, 413–4.

[55] Pucci (1982), pp. 55 et ss.

[56] *Od.*, 9, 20. Cf. aussi note 40.

voix à son héros. Et Ulysse saisit l'occasion pour révéler, dans et par son discours, tout l'art de sa mémoire, en opposant sa propre voix à celles des nymphes d'oubli.

L'*Odyssée* s'enrichit, ainsi, d'une comparaison que l'*Iliade* ignore. Au chant XI, alors qu'il est au milieu de son discours et qu'il raconte sa visite au pays des morts, Ulysse est interrompu par ses hôtes, émerveillés, qui n'hésitent pas à le comparer à un aède[57]. La comparaison est ici comme une clé pour comprendre tout le discours d'Ulysse. A condition toutefois de savoir la retourner; en cédant la parole à Ulysse, l'aède de l'*Odyssée* ne manque pas, en retour, de lui emprunter sa «métis»: comparant son héros à un aède, le poète s'identifie lui-même à la figure qu'il chante: Ulysse[58].

Reste toutefois à savoir, et c'est toute la question, si en prenant son héros pour modèle, l'aède de l'*Odyssée* n'a pas oublié la Muse. Alors que, dans l'*Iliade*, l'invocation à la Muse est, au cours du poème, maintes fois renouvelée, dans l'*Odyssée*, après l'invocation initiale, la Muse n'est plus évoquée que pour inspirer Démodocos, cet aède qui chante précisément l'histoire d'avant l'*Odyssée*. En devenant «aventure», la mémoire de l'*Odyssée* a peut-être perdu son soutien divin, «religieux».

## Bibliographie

Accame, Silvio. 1963. L'invocazione alla Musa e la «verita» in Omero e in Esiodo. *Rivista di Filologia Classica* 91: 257–79 et 385–415.

Austin, Norman. 1975. *Archery at the dark of the moon: Poetic problems in Homer's Odyssey*. Berkeley, Los Angeles, London: University of California Press.

Basset, Louis. 1979. L'emploi des négations dans l'épisode homérique du Cyclope ou les «non-noms» d'Ulysse. *Lalies* 1: 59–61.

Calame, Claude. 1983. Entre oralité et écriture. *Semiotica* 43: 245–73.

Detienne, Marcel. 1981. *Les maîtres de vérité dans la Grèce archaïque*. 4e éd. (1re éd. 1967) Paris: Maspero.

Dodds, Eric R. 1951. *The Greeks and the irrational.* Berkeley. = 1977. *Les Grecs et l'irrationnel.* Traduit par M. Gibson. 2e éd. Paris: Flammarion.

[57] *Od.*, 11, 368. En 21, 410 et ss., Ulysse tend l'arc, qui va révéler sa force et donc son identité aux prétendants, «comme un homme qui connaît bien la cithare et le chant tend avec aisance la corde neuve sur la clef et fixe à chaque bout le boyau bien tordu»; et, tendue par Ulysse, la corde «chante» (*áeise*) «comme une hirondelle» ou comme un barde. Il est important que cette autre comparaison qui associe Ulysse à un aède soit faite précisément au moment où Ulysse révèle à tous qu'il est Ulysse. Sur cette comparaison, cf. également Segal (1983), p. 36. Sur d'autres indices qui permettent d'établir un rapport entre Ulysse et la figure de l'aède, cf. Frontisi (1976) et Monsacré (1984) pp. 154–7.

[58] Seidensticker (1978), pp. 13–22, montre, d'une manière tout à fait séduisante, comment Ulysse sera pour Archiloque la figure modèle à laquelle le poète choisit de s'identifier.

Finley, Moses I. 1954. *The World of Odusseus*. New York. = 1978. *Le monde d'Ulysse*. Traduit par Cl. Vernant-Blanc et M. Alexandre. 2e éd. Paris: Maspero.
Frontisi, Françoise. 1976. Homère et le temps retrouvé. *Critique:* 348: 538–48.
– 1986. *La cithare d'Achille*. Roma: Edizioni dell' Ateneo.
Germain, Gabriel. 1954. *Genèse de l'Odyssée: le fantastique et le sacré*. Paris: Presses Universitaires de France.
Kahn, Laurence. 1980. Ulysse, ou la ruse et la mort. *Critique* 393: 116–34.
Lanata, Giuliana. 1963. *Poetica Pre-Platonica, testimonianze e frammenti*. Florence.
Loraux, Nicole. 1975. «Hebe et andreia»: deux versions de la mort du combattant athénien. *Ancient Society* 6: 1–31.
– 1981. Le héros et les mots. *L'Homme* 21,4: 87–94.
Marg, Walter. 1971. *Homer über die Dichtung: der Schild des Achilleus*. 2e éd. (1re éd. 1957) Münster.
Monsacré, Hélène. 1984. *Les larmes d'Achille*. Paris: Albin Michel.
Mühlestein, Hugo. 1969. Redende Personennamen bei Homer. *Studi Micenei ed Egeo-Anatolici* 9: 67–94.
– 1972. Euphorbos und der Tod des Patroklos. *Studi Micenei ed Egeo-Anatolici* 15: 79–80.
– 1981. Der homerische Phoinix und sein Name. *Živa Antika* 31: 85–91.
Nagy, Gregory. 1979. *The best of the Achaeans: concepts of the hero in Archaic Greek poetry*. Baltimore.
Pucci, Pietro. 1979. The song of the Sirens. *Arethusa* 12: 121–32.
– 1982. The proem of the Odyssey. *Arethusa* 15: 39–62.
– 1986. Les figures de la métis dans l'*Odyssée*. *Métis* 1: 7–28.
Redfield, James. 1975. *Nature and culture in the Iliad: the tragedy of Hector*. Chicago. = 1984. *La tragédie d'Hector*. Traduit par A. Lévi. Paris: Flammarion.
Schein, Seth. 1984. *The mortal hero. An introduction to Homer's Iliad*. Berkeley, Los Angeles, London: University of California Press.
Segal, Charles P. 1974. Eros and incantation: Sappho and oral poetry. *Arethusa* 7: 142–4.
– 1983. Kleos and its ironies in the Odyssey. *L'Antiquité classique* 52: 22–47.
Seidenstricker, Bernd. 1978. Archilochus and Odysseus. *Greek Roman and Byzantine Studies* 19: 5–22.
Simondon, Michèle. 1982. *La mémoire et l'oubli dans la pensée grecque jusqu'à la fin du Ve siècle av. J.-C.* Paris: Les Belles Lettres.
Strauss Clay, Jenny. 1983. *The wrath of Athena. Gods and men in the Odyssey*. Princeton: Princeton University Press.
Svenbro, Jesper. 1976. *La parole et le marbre. Aux origines de la poésie grecque*. Lund.
Vernant, Jean-Pierre. 1979. «Panta kala». D'Homère à Simonide. *Annali della Scuola Normale superiore di Pisa,* ser. III, IX, 4: 1365–74.
– 1980. La belle mort et le cadavre outragé. *Journal de Psychologie* 2–3: 209–31. Repris dans *La mort, les morts dans les sociétés anciennes*. éd. Gnoli, G. et J.-P. Vernant, pp. 45–76. Cambridge, Paris. 1982.
– 1981. Mort grecque. Mort à deux faces. *Le Débat* 12: 51–9.
– 1982. Le refus d'Ulysse. *Le Temps de la Réflexion* 3: 13–8.
Vidal-Naquet, Pierre. 1984. «Les larmes et la mémoire». Préface à H. Monsacré. 1984: 13–27.

ESTHER STAROBINSKI-SAFRAN

# La mémoire, son inscription dans les actes et sa signification spirituelle dans la tradition juive

Dans les réflexions qui vont suivre, je me réfère à la tradition juive, telle qu'elle se comprend elle-même. Je ferai appel, principalement, à des écrits rabbiniques, mais quelquefois aussi à des textes mystiques ou à des auteurs philosophiques. Ma démarche postule l'unité de cette tradition.

Fondamentalement, la mémoire implique que l'on fixe une personne, un sujet ou un événement dans l'esprit pour répondre à une exigence éthique, par exemple un devoir de reconnaissance. Dans Gn 40, 14, Joseph exhorte le grand échanson, qui sera bientôt libéré, à se souvenir de lui, à parler de lui au Pharaon, pour qu'il soit relâché à son tour. Or, nous apprenons que «le grand échanson ne se souvint pas de Joseph, il l'oublia» (*ibid.* 23). La mémoire s'applique aussi bien à des faits divers – mais qui ne le sont pas à tous égards, puisque les auteurs bibliques sélectionnent ce qui est digne de mémoire – qu'à des obligations religieuses permanentes. Elle comporte, à la fois, un aspect individuel et un aspect collectif (ainsi dans le Décalogue, où chacun des enfants d'Israël est interpellé individuellement), mais elle sert surtout à lier les générations, grâce au souvenir de Dieu qu'elles cultivent (cf. Dt 32,7–8). Le Cantique que Moïse prononce avant sa mort, d'après Dt 32, évoque ce lien. Sur le plan de l'action, la mémoire a pour effet que les descendants poursuivent la tâche laissée inachevée par leurs prédécesseurs. Cela est vrai, en particulier, à ce moment charnière qui se situe entre la Genèse et l'Exode. Nous lisons, en effet, ceci dans Gn 50,25: «Et Joseph fit prêter ce serment aux fils d'Israël: «Quand Dieu vous visitera (se souviendra de vous), vous ferez monter (*ha-alitem*) mes ossements de cet endroit». Ultérieurement, en prenant en charge les ossements de Joseph (cf. Ex 13,19), Moïse se désignera implicitement comme son continuateur, quand bien même, dans la chaîne des générations, il n'est pas son successeur immédiat[1].

[1] Lorsque la chaîne des générations se trouve brisée par l'absence d'un fils, la possibilité s'offre d'ériger un monument. C'est pourquoi Absalon fit dresser une stèle portant son nom en disant: «Je n'ai pas de fils pour commémorer mon nom» . . . «On l'appelle encore aujourd'hui monument (*yad*) d'Absalon». Cf. Hercenberg (1985), p. 124.

Pour les préserver de l'oubli, on peut certes inscrire dans un livre les personnes ou les événements dignes de mémoire (cf. Ex 17,14; Est 6,1). Mais la tradition juive marque sa préférence pour la transmission orale.

Cette tradition opère la distinction fondamentale de la Tora écrite et de la Tora orale: le *Mikra* («lecture») est la Tora écrite: il s'agit de la Bible hébraïque, tandis que la Tora orale est représentée par la Mishna, le Talmud et le Midrash. La Tora écrite est l'élément fixe, tandis que la Tora orale en constitue le commentaire et la continuation. La première mention de la *Tora she-be-al-pe,* «Tora orale», ainsi différenciée de la *Tora she-bi-khtav,* «Tora écrite», apparaît dans un récit concernant un prosélyte, qui demande à Shammaï, aux alentours de l'ère chrétienne: «Combien de *Torot* avez-vous?» Ce dernier répliqua: «Deux, la Tora écrite et la Tora orale»[2]. Cette réponse indique qu'à l'époque, en plus de la Tora écrite, il y avait une «tradition des pères» et que celle-ci était considérée comme Tora[3]. Les maîtres qui ont formé la «chaîne» de la Tora orale sont désignés, à plusieurs reprises, par «paires» (*zugot*). Le traité michnaïque *Avot* (I,4–12) mentionne cinq de ces «paires», signifiant par là que la mémoire religieuse collective est assurée par un double canal. Mais déjà bien avant les maîtres qui ont préparé la Mishna, Moïse et Aron et, plus tard, Ezra et Néhémie[4], avaient formé des «paires» de personnalités complémentaires.

La mise par écrit, entre le II^e^ et le VI^e^ s., de la Tora orale, sous la forme de la Mishna et de la Guemara, constituant le Talmud, a répondu à des exigences historiques, imposées de l'extérieur, mais aussi à la nécessité de consigner par écrit un matériel sans cesse grandissant. Toutefois, la rédaction du Talmud a donné un nouvel élan à la Tora orale, dont les effets se manifestent jusqu'à nos jours.

La préférence de la tradition juive pour la transmission orale est illustrée par la recommandation talmudique de ne pas laisser l'esprit des enfants se nourrir exclusivement de la Tora écrite[5], mais de les initier à la richesse de la Tora orale, sous la conduite de *talmidei hakhamim,* d'«élèves des sages». En effet, la mémoire de l'écrit est littérale, tandis que la mémoire de la tradition orale permet un travail de création et d'interprétation.

Déjà des passages du Pentateuque font état d'un *perush*, d'un «commentaire» (Lv 24,12; Nb 15,34) de la Loi adapté à des

Mais il y des cas où le monument (littéralement: main, *yad*) et le nom (*shem*, de nature spirituelle), formant ensemble *yad va-shem*, dépassent même une descendance charnelle. Cf. Is 56,5.

[2] Cf. T.B. (= Talmud de Babylone) Shabbat 31 a.

[3] Voir Urbach (1975), vol. I, p. 290; Safran (1979), p. 43–47.

[4] Ve s. avant J.-C.

[5] Cf. T.B. Berakhot 28b.

circonstances particulières, d'«éclaircissements» de la Tora donnés par Moïse (Dt 1,5). Cependant, la paternité du Midrash, de la «sollicitation» et «scrutation» de l'Ecriture est attribuée à Ezra le scribe (Ne 8,7–8; Esd 7,11). Le Talmud nous dit que les *halakhot*, les «prescriptions» midrachiques résultant de ces interprétations ne devraient pas être écrites, sous peine d'être «consumées par le feu»[6]. On distingue deux ramifications dans le midrash: le *midrash halakha,* qui a trait aux lois, et le *midrash aggada*, qui inclut des récits et des légendes auxquels on attribue une signification morale. Or, c'est le *midrash halakha,* principalement, qui tombe sous l'interdiction de la mise par écrit. Etant jugé plus essentiel que le *midrash aggada,* il doit être parfaitement assimilé, intériorisé, par conséquent mémorisé.

Ce fut Ezra qui institua l'usage de la lecture publique de la Tora. «Ils (Ezra et ceux qui l'entouraient) lurent dans le livre de la Tora de Dieu et l'«interprétèrent» (*meforash*), y firent attention et comprirent la lecture» (Ne 8,8). On peut saisir que le lecteur ou l'auditeur d'un texte a un rôle actif à jouer en faisant appel à la réflexion de R. Barthes suivant laquelle écouter un récit c'est en capter les niveaux de sens. Le narrateur et l'auditeur se présupposent mutuellement[7]. Le fait d'écouter n'est pas seulement conçu comme quelque chose de passif, mais comme la véritable mise en place d'un langage.

La lecture publique du Pentateuque, de la première à la dernière ligne, s'est constituée, avec le temps, en un cycle de trois ans en Terre Sainte et d'une année à Babylone. Sitôt achevée elle était (et continue à être) recommencée. La répétition ritualisée des lectures, annuelle (comme c'est le cas encore actuellement) ou triennale, donne aux récits bibliques une dimension cyclique et facilite leur mémorisation[8]. En outre, la répétition du texte, effectuée de manière incessante, confère à l'Ecriture sa permanence. Toutefois, cette lecture publique, telle qu'elle se pratique encore à la synagogue, dans des rouleaux de la Tora en parchemin, implique l'utilisation d'un texte sans voyelles et sans accents, à savoir un travail de mémorisation.

C'est à la lumière de la distinction entre la Tora écrite et la Tora orale et de la méthode midrachique que l'on peut tenter de saisir la conception juive de la Révélation. En effet, «non seulement tous les prophètes ont reçu leur prophétie du Sinaï, mais encore les sages (rabbiniques) qui se sont levés dans chaque génération ont obtenu leur

[6] T.B. Temura 14b.
[7] Voir Barthes (1966), pp. 5 et 18.
[8] Voir Yerushalmi (1984), pp. 31 et 125.

enseignement respectif du Sinaï[9]». Des textes talmudiques affirment que «même ce qu'un élève éminent va déclarer en présence de son maître avait déjà été communiqué à Moïse sur le Sinaï[10]» car la Tora écrite et la Tora orale avaient été toutes deux communiquées sur le Sinaï (cela veut dire que toutes les interprétations ultérieures étaient inclues dans le texte). Mais dans un autre récit rabbinique on lit ceci: un élève peut exposer «davantage qu'il n'a été dit à Moïse sur le Sinaï[11]», et un recueil midrachique[12] nous apprend que des «matières qui n'avaient pas été révélées à Moïse l'on été à Akiva» (illustre maître du IIe siècle).

Il faut situer dans ce contexte la légende d'après laquelle Moïse serait entré dans la maison d'étude d'Akiva et n'aurait pas compris le sujet débattu, même pas un détail de la Loi donnée à Moïse sur le Sinaï[13]. La Tora interprétée par Akiva devint, selon la parabole talmudique, difficile à saisir par le maître des prophètes, qui pourtant avait vécu la Révélation fondamentale et première. La révélation que l'exégète individuel appelle et obtient pour son compte, tout en s'appuyant sur la Tradition, en sollicitant le sens de l'Ecriture, n'équivaut pas seulement à la Révélation première, mais lui est même supérieure.

Le chercheur présent bénéficie de l'apport des générations passées, il reçoit les interprétations qu'elles ont fournies et utilise leur expérience[14]. La révélation fait nécessairement appel à l'exégèse. Le texte de l'Ecriture invite à la recherche, au déchiffrement et à l'approfondissement, sa vérité réside dans la multiplicité des sens, correspondant à la variété des interprètes.

Mais dans cette richesse infinie des sens, ne court-on pas le risque d'interprétations arbitraires? C'est précisément l'insertion de l'approche personnelle de l'Ecriture dans la continuité historique des commentaires qui permet d'éviter ce danger[15].

Au Ier et au IIe siècles de l'ère actuelle, des *middot*, «mesures» ou règles logiques servant à l'interprétation méthodique de la Tora écrite ont été fixées par des maîtres importants: ils les tenaient de leur prédécesseurs, qui en avaient fait usage. Ces règles de logique s'inscrivent donc également dans une tradition, même si des influences extérieures au judaïsme ne sauraient en être complètement exclues. En effet, suivant une thèse énoncée, la logique aristotélicienne aurait

[9] Cf. Ex rabba XXVIII, 6; Tanhuma, Yitro XI. Voir aussi T.B. Berakhot 5a et Urbach (1975), vol. I, p. 304 et n. 59.

[10] T.J. (= Talmud de Jérusalem) Péa 2,6; 17,1; cf. T.B. Megilla 19b.

[11] Avot de-Rabbi Nathan B 13,32.

[12] Sifrei Nb 134.

[13] Tanhuma B. Nb 117; cf. T.B. Menahot 29b.

[14] Safran (1979), p. 63.

[15] Lévinas (1982), pp. 160–164.

inspiré les principes herméneutiques rabbiniques[16]; d'après une autre, des similitudes auraient été observées entre les procédés d'interprétation des rabbins et ceux des grammairiens grecs d'Alexandrie[17]; enfin, selon une troisième, ces règles d'herméneutique auraient été déduites de l'examen des textes bibliques eux-mêmes[18].

Il sied toutefois de remarquer que la rationalité de ces méthodes trouve son complément dans la conception talmudique de jugements inspirés par le *ruah ha-qodesh*, le «Saint Esprit»[19]. En outre, la tradition zoharique établit une relation entre ces treize règles d'interprétation de la Tora et la mystique des treize attributs divins[20].

Les «détenteurs» de la tradition sont les *sofrim*, «scribes», les *tannaïm* et les *amoraïm*, maîtres de la Mishna et de la Guemara, les massorètes, les autorités rabbiniques de diverses générations. L'enseignement prodigué par eux est largement ouvert[21]. Le *beit ha-midrash*, «maison d'étude», est le lieu où cet enseignement est dispensé. Mais la personnalité du maître et son comportement y sont tout aussi instructifs que l'enseignement proprement dit[22].

On saisit sans peine l'importance de la mémoire dans une telle tradition. Elle demande à être cultivée, notamment par des répétitions intensives. «Celui qui revoit son texte cent fois n'est pas à comparer avec celui qui le revoit cent et une fois»[23]. Des procédés mnémotechniques sont également mis en œuvre. Par exemple, on «concentre» en un mot ou en un petit nombre de mots une idée ou un ensemble de notions. Cette méthode se rencontre aussi bien chez les rationalistes du Talmud que chez des mystiques post-talmudiques. En voici quelques illustrations:

1. Le Talmud utilise le terme *simane*, «signe», pour conclure un exposé plus ou moins étendu; ce terme annonce lui-même une formule concise qui résume le thème dont il a été question.

2. Ce même ouvrage utilise le procédé du *notarikon*, qui consiste à décomposer un mot en ses lettres pour faire ressortir l'idée cachée qu'il doit exprimer. Ainsi, *metsora* («lèpre») se dissocie en *motsi shem ra* («calomniateur»)[24].

[16] Voir Schwarz (1909) *passim*.
[17] Voir Liebermann (1950), pp. 47–82.
[18] Voir Jacobs (1961), Introduction.
[19] Cf. T.B. Makkot 23b; Gn rabba 85,12.
[20] Cf. Zohar III, 228a.
[21] Cf. Avot I.
[22] Cf. Sifrei Dt 6,7.
[23] T.B. Haguiga 9b.
[24] T.B. Arakhine 16b.

3. La méthode des *rashei teivot* consiste à rassembler les initiales de plusieurs mots qui traduisent une idée ou rappellent un épisode. Ces initiales forment alors un mot unique qui permet de résumer l'idée ou de rappeler l'épisode[25].

4. La *guematria* consiste à additionner les lettres d'un mot, celles-ci ayant chacune une valeur numérique. Ce chiffre représente une idée importante. Ainsi *ehad* («un») est à rapprocher de *ahava* («amour»): l'unité de Dieu invite à L'aimer.

Dans la prière journalière, on recommande d'évoquer le souvenir d'événements, d'institutions et de vérités religieuses jugés essentiels, au nombre de six pour certains, de dix pour d'autres: la sortie d'Egypte (Ex 3,13); le sabbat (Ex 20,8); la station au pied du Sinaï (Dt 4,9–10); le fait que Dieu octroie des forces à l'homme; l'épisode du veau d'or (Dt 9,7); la manne (Dt 8,2–3); la punition infligée à Miriam (Dt 24,9); les attaques d'Amaleq (Dt 24,17); les agissements de Balaq et de Bileam (Mi 6,5); Jérusalem (Ps 137).

Cette liste souligne abondamment les bienfaits de Dieu, mais aussi des fautes imputables à des individus ou à la collectivité d'Israël, qui ont entraîné des conséquences fâcheuses. Les premiers commandent un devoir de fidélité à Dieu, les seconds, par la mention des péchés, incitent à retourner vers Lui: la mémoire, étant réflexive, invite au repentir. Le souvenir repose sur un support temporel, le sabbat, et sur un support spatial, Jérusalem.

Cependant, l'importance et la raison d'être de tout rappel réside dans le fait qu'il conduit à l'action[26]. Le travail quotidien s'ordonne à la suite de ces rappels prononcés dans la prière du matin.

La religion juive commande de se souvenir et elle fonde cette injonction sur l'idée d'alliance, de *brit*, alliance conclue par Dieu avec les patriarches et ensuite avec les premières générations que Dieu a fait sortir du pays d'Egypte et appelée à durer (cf. Ex 19,5; Lv 26,42 et 45 et *passim*). Le souvenir de cette alliance est maintenu grâce à des prescriptions nombreuses et précises: en effet, la mémoire n'est pas uniquement abstraite, elle est souvent éveillée et nourrie par des actes et des objets concrets, qui apportent autant de significations[27]. Ainsi, les franges au coin des vêtements sollicitent la vue et rappellent le souvenir des commandements (Nb 15,37–39). Ce qui a été vu doit être mémorisé (telle la Révélation au Mont Sinaï), mais la mémorisation fait appel à la vue, à son tour. Les trois prescriptions fondamentales de la

[25] Par exemple, les dix plaies d'Egypte sont résumées dans la Haggada (récit du soir de Pâque) par des *rashei teivot*. Sur ces divers procédés, voir Safran (1979), p. 360, n. 15.

[26] Cf. T.B. Menahot 43b.

[27] Voir Yerushalmi (1984), pp. 17, 55 et *passim*.

*mezuza* (rouleau cylindrique fixé aux portes des maisons, contenant la profession de foi du Juif), des *tsitsit* (franges aux coins des vêtements) et des *tefilline* (phylactères, que le Juif porte sur son front et au bras gauche au moment de la prière) sont autant de symboles offerts au regard du fidèle: ils évoquent, dans la vie quotidienne, les devoirs vis-à-vis de Dieu.

Les commandements se subdivisent en deux catégories: les «commandements positifs» (*mitsvot assé*), qui prescrivent ce qu'il faut faire et les «commandements négatifs» (*mitsvot lo taassé*), qui interdisent ce qu'il ne faut pas faire. Ils en appellent tous à la mémoire. Une prescription, toutefois, invite à l'oubli: celle qui enjoint de laisser une gerbe dans les champs moissonnés, à l'intention des démunis (Dt 24,19). Or, il ne s'agit pas ici d'un «oubli» de distraction: le précepte de *shikḥa* s'inscrit dans un ensemble de prescriptions visant à se souvenir des membres les plus défavorisés de la société[28].

La prescription de la *tsedaqa* («charité») représente la prescription éthique par excellence: elle équivaut à l'ensemble des préceptes religieux[29] et crée un lien de solidarité entre personnes de la même génération, mais aussi entre les générations successives[30]. C'est dans ce sens qu'on peut comprendre Pr 14,34: «La *tsedaqa* («charité», mais aussi «justice») élèvera (*teromem*) une nation», dans son devenir historique.

Par ailleurs, une place privilégiée est accordée à l'observation du sabbat. Le commandement relatif à cette institution est indiqué, dans le Pentateuque (Ex 20,8; Dt 5,12), par deux verbes différents: *zakhor*, «souviens-toi» et *chamor*, «garde». On distingue ainsi deux éléments: l'un, «masculin», a trait à une extériorisation active, à une force dynamique de la mémoire, qui incite à l'action[31]; l'autre, «féminin», a trait à la réception, à la conservation de ce qui est transmis. Cependant, un célèbre poème liturgique du XVI^e^ siècle, le *Lekha Dodi*, qui marque l'entrée du sabbat, le vendredi soir, dit ceci: *shamor ve-zahor bedibbur eḥad*[32], *shamor* et *zakhor* ont été prononcés dans une parole unique, ces deux aspects de la mémoire forment une unité. Celle-ci peut

[28] Cf. Mishna, Péa IV, 6.

[29] Cf. T.B. Bava Bathra 9a.

[30] Grâce à la *tsedaqa*, à l'acte de charité, le descendant parachève la tâche terrestre de son parent décédé.

[31] Cf. I Sam. 25, 31; voir également Childs (1962), p. 24. Cependant, le rapprochement étymologique usuel de *zakhor*, «se souvenir» avec *zakhar*, «mâle» a été réfuté sur la base d'une étude comparée des langes sémitiques. Voir Schottroff (1967), pp. 3–11. La racine primitive *d*kr paraît devoir être retenue.

[32] Cf. T.B. Shevuot 20b. Voir également Safran (1980), p. 152.

aussi être comprise comme celle de l'action et de la pensée, de l'observance et du souvenir qu'elle suscite.

Le sabbat constitue le «signe» par excellence, «signe» de notre attachement à Dieu, expression sans cesse renouvelée du «souvenir» qui nous est transmis, que nous gardons et que nous transmettons à notre tour, de la création du monde et de l'exode d'Egypte, donc de la création continuelle du monde par Dieu et de l'exercice de sa providence[33]. Le sabbat est, d'après le Talmud, l'équivalent de tous les commandements de la Tora[34]: c'est une prescription englobante.

Il est indispensable de mentionner toutefois les rites fondamentaux du souvenir constitués par les fêtes[35]. Ces rites comportent un ensemble de pratiques largement partagées grâce auxquelles tout le peuple cultive des souvenirs communs. Il convient de souligner, en particulier, les fêtes dites de Pèlerinage, de Pâque, des Semaines et des Tabernacles, qui en plus de leur caractère agraire, sont d'importantes fêtes historiques. Une signification spéciale doit être accordée à Pâque, qui évoque le souvenir de l'Exode d'Egypte. La nuit pascale est consacrée au Séder, repas qui se déroule suivant un «ordre» minutieux: la lecture de ce soir-là, la *Haggada*, qui se dit à voix haute, par l'ensemble des convives, offre un raccourci saisissant des événements dignes de mémoire.

Qu'il s'agisse du Dieu créateur, du Dieu de l'histoire, libérateur, ou du Dieu qui guide notre vie spirituelle, la mémoire est toujours «mémoire de Dieu». Pour Philon d'Alexandrie, elle n'est pas uniquement liée à la spéculation intellectuelle, elle est «gardienne des préceptes saints»[36]. Comme l'observe judicieusement R. Arnaldez[37], cette fonction essentielle de l'âme n'a pas une raison d'être purement psychologique, mais permet la conservation de l'énergie spirituelle, du courant de vie directement issu du Créateur. Philon remarque l'alternance de souvenirs et d'oublis. C'est pourquoi, «le plus grand des biens réside dans une mémoire sans défaillance»[38]. Le maître alexandrin exhorte à «ne jamais oublier Dieu» (μηδέποτε ἐκλανθάνεσθαι τοῦ θεοῦ)[39]. Car, en suivant l'itinéraire de l'âme, c'est la mémoire qui est garante du retour à Dieu, dans l'épreuve qui consiste à affronter la vie sensible. Le retour s'effectue par l'intermédiaire des puissances divines, dont les vertus humaines sont le reflet ici-bas.

[33] Cf. Nahmanide, ad Ex 13,16.
[34] T.J. Shabbat I, 5.
[35] Cf. Yerushalmi (1984), pp. 55–56.
[36] *Leo.* I, 55.
[37] Introd. à *Virt.* p. 12.
[38] *Migr.* 56.
[39] *Spec.* I, 133.

Cette situation n'est pas sans analogie avec celle que nous présente le Zohar, à propos de la destinée de l'âme: avant de descendre sur terre, celle-ci doit s'engager vis-à-vis de Dieu à méditer dans ce monde le secret de la foi, à pénétrer la Tora jusque dans ses interprétations mystiques, pour rester en contact avec les sphères supérieures qu'elle est appelée à regagner[40]. Mais la mémoire ne doit pas être considérée uniquement sous l'angle de la relation à Dieu, telle qu'elle se manifeste dans la vie intérieure. Elle a sa place également dans la perspective d'une histoire qui s'oriente vers un but, comme nous la présente la Bible: le souvenir du passé est aussi l'annonce d'événements à venir. Mais l'aboutissement de l'histoire consiste à rejoindre son commencement: «Renouvelle nos jours comme autrefois!» (Lm 5,21). Telle est la fin vers laquelle tend l'histoire.

L'alternance du souvenir et de l'oubli y est comprise sous une forme de réciprocité: l'homme (ou le peuple d'Israël) se souvient de Dieu, à savoir de sa Parole ou de sa Loi, et Dieu se souvient de l'homme. Ou bien le contraire se produit (cf. Os 4,6). Suivant ce principe de réciprocité, *zakhor le* signifie prendre en compte des actions ou des vertus humaines pour leur accorder la rétribution appropriée[41]. *Zakhor* est généralement pris dans le sens du *ḥessed*, de la «bienveillance» divine (cf. Ex 32,13; Jr 2,2)[42], tandis que *paqod*, l'action de se souvenir marquée par une «visite» divine, annonce tantôt un bienfait, un secours (Gn 50,25; Ex 4,31), tantôt un châtiment (Ex 32,34; Nb 14,18; Dt 5,9).

On observe ainsi, dans le déroulement de l'histoire, une alternance d'éloignements et de rapprochements, d'oublis et de souvenirs, de péchés et de repentirs (cf. Jon 2,8), jusqu'à la réconciliation finale, marquée par la *teshuva*, retour à Dieu compris comme souvenir de Dieu, auquel correspond un «retour» de Dieu vers l'homme.

Même si la tradition juive, dans ses divers courants, souligne inlassablement l'importance de la mémoire, elle connaît aussi la valeur de l'oubli. Par exemple, s'il est normal d'observer une période de deuil, «c'est par un décret (divin) que le mort est obligé de se faire oublier (par ses proches) douze mois après son décès»[43]. La mystique juive, notamment, fait état de cette vertu d'oubli: elle instaure une dialectique

[40] Cf. Zohar II, 161b.

[41] Cf. Ps 79, 8; Pr 10, 7; Jr 2, 2 et Childs (1962), p. 32. Voir aussi Meier (1975), p. 148.

[42] Dans le même ordre d'idées, le rituel du Nouvel An (*Rosh Ha-Shana*) prescrit ceci: «Faites retentir devant moi à *Rosh Ha-Shana* des glorifications de Ma royauté, des rappels (*zikhronot*) et des sons de corne de bélier, afin que je me souvienne de vous pour le bien» (T.B. Rosh Ha-Shana 16b).

[43] T.B. Berakhot 58b; cf. Gn rabba 84,21; Rachi ad Gn 37,35.

du souvenir et de son effacement. La mémoire n'est pas toujours bonne, l'oubli n'est pas obligatoirement mauvais: dans certains cas, il permet de se «ressouvenir» d'enseignements religieux essentiels. Ainsi, l'oubli du grand échanson qui «ne se souvint pas de Joseph mais l'oublia». Il fut bien inspiré d'oublier, d'après le Zohar, car cela amena Joseph à modifier son attitude et à s'en remettre non à l'échanson, mais à Dieu[44].

Le souvenirs de certains événements est proprement insoutenable: par exemple, les souffrances que Joseph avait endurées dans la maison de son père. Aussi divers commentateurs médiévaux[45] ne trouvent-ils rien à redire à Gn 41,51: «Joseph donne à l'aîné le nom de Manassé car, dit-il, Dieu m'a fait oublier «*nashani* toute ma peine et toute la maison de mon père». Un commentateur mystique du XVI$^{e}$ s., Alsheih[46], observe toutefois que le fait d'avoir donné ce nom à son enfant incitait Joseph à un *constant rappel*, dans sa situation prospère, de ses tribulations d'autrefois et de la maison paternelle, tout comme les herbes amères que le Juif consomme lors de la nuit pascale lui rappellent l'amertume de l'esclavage égyptien.

Le commandement absolu de se souvenir[47], de ne pas oublier apparaît ainsi dans les divers textes fondamentaux de la religion juive, dans les multiples circonstances de la vie juive, dans l'exégèse et dans la liturgie: là même où elle paraît ensevelie par l'oubli, la mémoire ressurgit en force. Que dire de cette omniprésence de la mémoire, sinon qu'elle constitue la trame de l'existence juive et la condition de survie du peuple d'Israël?

## Bibliographie

### I Sources antiques et médiévales

Alsheih, Moshe. 1798. *Torat Moshe*. Dührenfurth.

Avot de Rabbi Nathan. 1887. Ed. S. Schechter. Wien.

Bible hébraïque, massorétique. 1931. Ed. Meir Letteris. Berlin: Preussische Druckerei-und Verlags-A.-G.

Midrash Rabba (Gn rabba, Ex rabba etc.) 1911. 2 vol. Vilna; Ed. Romm.

Midrash Tanhuma. 1924. New York, Berlin: Ed. Horeb.

*Miqraot Guedolot* (Commentaires bibliques de Rachi, Ibn Ezra, Nahmanide *et al.*). 1902. 12 vol. Gur-Kalwarie.

Mishna. 1958–1959. 6 vol. Ed. H. Albeck. Jérusalem: Mossad Bialik. Tel-Aviv: Dvir.

Philon d'Alexandrie. 1961 – *Œuvres* (texte grec et traduction française). Ed. R. Arnaldez, C. Mondésert, J. Pouilloux. Paris: Editions du Cerf.

[44] Cf. Zohar I, 193b; voir aussi Gn rabba 89, 2, Ps 40,5.

[45] Cf. *Miqraot Guedolot* ad loc.

[46] Alsheih ad loc.

[47] Cf. Yerushalmi (1984), p. 25. Safran (1979), p. 66–67.

Sifrei. 1864. Vienne: Ed. M. Friedmann.
Talmud de Babylone. 1895–1897. 20 vol. Vilna: Ed. Romm.
Talmud de Jérusalem. 1929. 2 vol. Berlin: Ed. Horeb.
Zohar. 1956. 3 vol. Ed. R. Margaliot. Jérusalem: Mossad Ha-Rav Kook.

## II Encyclopédies

Encyclopaedia Judaica. 1972. Jérusalem: Keter Publishing House. S.v. Hermeneutics, Oral Law, Tradition.
Enyclopaedia Miqrait. (Encyclopédie biblique) (hébr.). 1954. Jérusalem. Mossad Bialik. S.v. *zekher*.
Encyclopaedia Talmudit. (Encyclopédie talmudique) (hébr.). 1967. Jérusalem: Mossad Ha-Rav Kook. S.v. *zekhirot*.
Otsar Yisrael (hébr.). 1924. Ed. J.D. Eisenstein. London: Shapiro, Vallentine & CO. S.v. *zekher, zikaron*.

## III Littérature secondaire

Barthes, Roland. 1966. Introduction à l'analyse structurale des récits. *Communications* 8: 1–27.
Childs, Brevard S. 1962. Memory and Tradition in Israel. (Studies in Biblical Theology n° 37). London: SCM Press Ltd.
Gerhardsson, Birger. 1961. *Memory and Manuscript. Oral Tradition and Written Transmission in Rabbinic Judaism and Early Christianity*. Uppsala.
Hercenberg, Bernard-Dov. 1985. *La parole et la représentation*. Bruxelles.
Honor, Leo L. 1953. «The Role of Memory in Biblical History», in *Mordecai M. Kaplan jubilee on the occasion of his 70 birthday*. Ed. M. Davis, pp. 417–435, New York.
Jacobs, Louis. 1961. *Studies in Talmudic Logic and Methodology*. London: Vallentine, Mitchell.
Levinas, Emmanuel. 1982. *L'Au-delà du verset. Lectures et discours talmudiques*. Paris: Editions de Minuit.
Liebermann, Saul. 1950. *Hellenism in Jewish Palestine*. New York.
Meier, Christel. 1975. «Vergessen, Erinnern, Gedächtnis im Gott-Mensch-Bezug», in *Verbum et Signum*. vol. I. Herausgegeben von H. Fromm, W. Harms, U. Ruberg, pp. 143–194. München: Wilhelm Fink Verlag.
Safran, Alexandre. 1979³. *La Cabale*. Paris: Payot.
Safran, Alexandre. 1980. *Israël dans le Temps et dans l'Espace. Thèmes fondamentaux de la spiritualité juive*. Paris: Payot.
Schottroff, Willy. 1967². *‹Gedenken› im Alten Orient und im Alten Testament*. (Wissenschaftliche Monographien zum Alten und Neuen Testament). Neu Kirchen Vluyn: Neukirchener Verlag.
Schwarz, Adolf. 1909. *Die Hermeneutische Induktion in der Talmudischen Litteratur*. Wien: Verlag der Israel-Theol. Lehranstalt.
Tishby, Isaiah. 1949 et 1961. *Mishnat ha-Zohar* (The Wisdom of the Zohar) (hébr.) Jérusalem: Mossad Bialik.
Urbach, Ephraim E. 1975. *The Sages – Their Concepts and Beliefs*. Jerusalem: The Magnes Press, The Hebrew University. 2 vol.
Yerushalmi, Yosef H. 1984. *Zakhor. Histoire juive et mémoire juive*. Paris: Editions La Découverte.

JEAN-CLAUDE BASSET

# L'anamnèse: aux sources de la tradition chrétienne

Loin d'être un phénomène marginal de la vie religieuse, la mémoire est indissociable de l'histoire des traditions religieuses, tant orales qu'écrites. En effet qui dit tradition dit transmission et par là-même mémoire vivante, exposée aux déformations mais aussi capable de nouveaux développements. Avant d'être une *Weltanschauung* ou une doctrine, révélée ou élaborée, la religion est une pratique, une voie (*tao*) à parcourir à la lumière d'une expérience ou d'un événement fondateur, transmis dans la mémoire des sages, des prophètes et des envoyés. Plutôt qu'un cadre de pensée fixé par une série d'axiomes à la manière de la géométrie euclidienne, la religion est fondamentalement une mémoire qui imprègne la vie des fidèles et oriente l'expression de leur foi; il y a toujours interaction entre la tradition reçue et l'expérience vécue.

Constituée essentiellement de rites et de symboles, de récits légendaires et historiques, de règles éthiques et ascétiques, la mémoire religieuse est à la fois complexe et dynamique, ne cessant de se développer et de se corriger au cours des siècles. Non sans raison, W.C. Smith parle de *cumulative tradition*[1] pour désigner ce pôle de la vie religieuse par rapport à l'autre qu'est la foi personnelle. Comme toute mémoire humaine et à la différence de la mémoire des ordinateurs, la mémoire religieuse est de nature sélective et interprétative; en effet les paroles et les faits rapportés le sont moins à titre d'information historique qu'en fonction de leur signification dans une tradition donnée et pour la vie des croyants. Que l'on songe à la sobriété et aux lacunes documentaires des plus anciens récits de l'illumination du Bouddha, de la mort et de la résurrection de Jésus ou de la vocation de Muhammad. De même la mémoire religieuse ne cesse de s'enrichir de nouveaux éléments comme les anges dans la tradition juive, la piété mariale chez les chrétiens, les *hadith* dans l'histoire musulmane ou le *nembutsu* chez les bouddhistes japonais Jodo Shin-shû.

Dans la tradition chrétienne aussi, la mémoire joue un rôle central en assurant le lien entre un passé de plus en plus éloigné et un présent sans

[1] Smith (1962), pp. 154 sqq.; aussi Smith (1965), pp. 55–72.

cesse changeant au gré des circonstances et des courants de pensée. Il suffit de consulter les imposantes collections de la patrologie grecque ou latine ainsi que les sommes théologiques classiques ou contemporaines pour s'en convaincre. Il est dès lors nécessaire, tant pour l'historien des religions que pour le théologien de s'interroger sur la nature et la fonction de la mémoire dans la tradition chrétienne. Laissant de côté le développement historique de la mémoire chrétienne et son contenu actuel, je me limiterai aux origines de cette mémoire, propres à révéler son noyau fondamental. Pour ce faire, je me situerai résolument dans une perspective phénoménologique, à la charnière entre l'étude académique des religions et la théologie chrétienne, renonçant à toute comparaison systématique avec d'autres traditions et refusant de dire ce que cette mémoire doit ou devrait être.

## *I Aspects de la mémoire chrétienne*

### *a) «Selon les Ecritures»:*

De toutes les grandes familles religieuses, la tradition chrétienne est la seule à accorder une importance décisive à une Ecriture qui appartient en propre à une autre tradition. Non seulement pour Jésus et ses disciples la Bible hébraïque est la seule Ecriture mais, comme en témoigne le nombre de citations dans le Nouveau Testament[2], ce que les chrétiens appellent l'Ancien Testament constitue la mémoire collective des apôtres et de l'église primitive, y compris de langue grecque. Le plus ancien témoignage nous est fourni par l'antique credo: «Christ est mort pour nos péchés, selon les Ecritures. Il a été enseveli, il est ressuscité le troisième jour, selon les Ecritures.» (I Cor 15: 3–4). Si aucune référence précise n'est donnée ici, ce n'est pas le cas dans les anciens discours des Actes des Apôtres, reflets de la première prédication apostolique, où l'on compte plus de vingt citations ou propos sur l'Ecriture[3].

Les récits de la passion et de la résurrection de Jésus sont parsemés d'allusions à l'Ecriture et de textes cités avec ou sans introduction, depuis l'arrestation de Jésus «pour que les Ecritures soient accomplies» (Mc 14: 49) jusqu'à l'affirmation du Ressuscité chez Luc: «Il faut que s'accomplisse tout ce qui a été écrit de moi dans la loi de Moïse, les Prophètes et les Psaumes» (Lc 24, 44). Face au scandale de la crucifixion

[2] Notamment Amsler (1960); Grelot (1962); Dodd (1972).

[3] Il s'agit principalement des discours de Pierre à la Pentecôte (Ac 2, 14–40), après une guérison (Ac 3, 12–16), devant le sanhédrin (Ac 4, 8–12 et 5, 29–32), chez Corneille (Ac 10, 34–43) et de Paul à la synagogue d'Antioche (Ac 13, 16–41); cf. Dodd (1964), pp. 17–37.

et à la nouveauté radicale de la résurrection, le recours à l'Ecriture sert de clé herméneutique. Globalement les Evangiles ont largement recours à l'Ecriture, notamment Matthieu[4] qui multiplie les citations dès le récit de l'enfance; chez Luc Jésus commence son ministère par la lecture d'Esaie 61, 1–2 à la synagogue avec ce commentaire «Aujourd'hui cette Ecriture est accomplie pour vous qui l'entendez» (Lc 4, 21); Jean, enfin, ne cesse de parler de l'accomplissement des Ecritures.

Dans tout le Nouveau Testament, la Bible juive est présente, essentiellement comme promesse mais aussi comme loi et comme modèle (*túpos*). Même si le schéma qui domine est celui de la promesse et de l'accomplissement, il ne s'agit pas simplement d'une preuve par l'Ecriture, mais d'un éclairage réciproque du texte et de l'événement dont on veut rendre compte[5]. Fondamentalement la nouvelle alliance n'existe que par rapport à la première alliance: rupture et continuité vont de pair; la mémoire est foncièrement créatrice d'un sens nouveau, au point de rendre discordantes les lectures juives et chrétiennes d'un même texte.

Loin de diminuer avec le temps, la référence à l'Ecriture, juive d'abord puis néotestamentaire, ne cessera de s'enrichir au cours des premiers siècles de l'Eglise[6] jusqu'à sa remise en valeur par la Réforme au XVI^e^ siècle, et tout récemment par le renouveau biblique contemporain.

### *b) Du credo au Canon:*

Pas plus que le Buddha ou Muhammad, Jésus n'a écrit lui-même, de sorte que la tradition chrétienne, comme bien d'autres, a d'abord été orale; les apôtres, comme les prophètes avant eux, ont été prédicateurs avant d'être écrivains. Le passage à l'Ecriture s'est fait progressivement, plus rapidement que pour la Torah et plus lentement que pour le Quran. Deux faits semblent avoir été déterminants: c'est d'abord l'éloignement géographique des croyants, entraînant la nécessité d'un échange épistolaire inauguré par Paul; et c'est surtout la crise et la dispersion provoquée par la chute de Jérusalem en 70. Ce n'est certainement pas un hasard si la plupart des écrits néotestamentaires, à commencer par les Evangiles, se situent entre 70 et 95.

Pourtant la première fixation par écrit remonte à quelques années seulement après la mort de Jésus, sous la forme de textes brefs et rythmés contenant des formules de louange et de foi insérées

[4] Moule (1971), notamment pp. 47–73: «l'utilisation des Ecritures juives».

[5] Cf. Stendhal (1967); Rothfuchs (1969); Sogbroeck (1972).

[6] Cf. les publications du Centre d'Analyse et de Documentation Patristique de l'Université de Strasbourg: *Biblia patristica.* Index des citations et allusions bibliques dans la littérature patristique. Paris 1975 –, 4 volumes parus.

ultérieurement dans les épîtres[7]. Ce qui frappe dans ces premières cristallisations de la foi nouvelle, c'est l'importance accordée à l'histoire de Jésus, à sa passion et à sa résurrection. C'est le noyau de l'anamnèse chrétienne qui se développera avec ce que P. Bonnard[8] a appelé l'anamnèse paulinienne qui intègre à la croix l'annonce même de l'Evangile, l'anamnèse synoptique selon laquelle Jésus devient le modèle à suivre, et enfin l'anamnèse johannique qui établit le lien entre la réalité du Christ dans la communauté et l'événement passé de l'enseignement et de la vie de Jésus: «ce qui était dès le commencement» (I Jn1, 1).

Dès le second siècle s'est posée à l'Eglise la question des limites à fixer à la créativité de la mémoire chrétienne. En effet la disparition des témoins vivants que furent les apôtres et la multiplication des écrits issus de milieux les plus divers rendaient nécessaire une telle démarche. La crise provoquée par Marcion et son rejet de la Bible juive ainsi que des Evangiles à l'exclusion de Luc, précipite le processus de fixation d'un Canon dès la fin du II^e^ siècle, avec des discussions mineures jusqu'au IV^e^ siècle. Dès lors le cadre de la mémoire chrétienne est établi une fois pour toutes, sur un temps et un nombre de livres relativement restreints, comparés aux Védas et aux Upanishad hindous, au Tripitaka bouddhiste ou même au Canon hébraïque: une concentration qui ne sera pas sans influencer le développement ultérieur de la mémoire chrétienne[9].

L'adoption d'une Ecriture canonique n'a pas supprimé la tradition orale, comme l'atteste ce décret du second Concile de Nicée (787): «Quiconque n'accepte pas la totalité de la tradition de l'Eglise, écrite et non écrite, qu'il soit anathème!»[10] Face à l'affirmation des Réformateurs *sola scriptura*, le Concile de Trente (1546) fait de l'Ecriture et de la Tradition les deux sources de la révélation. Plus récemment les protestants ont été amenés à reconnaître le rôle de la tradition, ne serait-ce que dans la fixation des limites du Canon, et plus fondamentalement dans la question du «Canon dans le Canon», tandis que Vatican II parlait d'une source commune à la Tradition et à l'Ecriture, faisant de cette dernière la *norma non normata* de l'Eglise.

[7] Cf. Deichgräber (1967); Wengst (1972); Sanders (1971).

[8] Bonnard (1961).

[9] Les témoignages déterminants sont des fragments du Canon de Muratori (II^e^ siècle) ainsi que la 39^e^ lettre d'Athanase et le décret de Gélase lesquels mentionnent les 27 livres du NT reconnus au IV^e^ siècle.

[10] Denzinger et Schönmetzer (1965), n° 609.

*c) La primauté de la théologie:*

Non moins caractéristique de la mémoire chrétienne telle qu'elle s'est développée au cours des siècles, est la place privilégiée accordée à la théologie en tant que dire explicite sur Dieu. L'origine est assurément à chercher dans les credo eux-mêmes, remarquablement explicites sur Dieu et les actes du salut, si l'on compare le Symbole de Nicée-Constantinople à la *shahada* islamique par exemple. L'extension naturelle de ces formulations de foi se trouve dans les dogmes tels qu'ils sont progressivement définis par les Conciles successifs, avec pour contrepartie l'anathème à l'égard des hérétiques. En tant que critère autorisé et absolu de la vérité c'est là un développement unique dans l'histoire des religions. Du côté protestant il convient de souligner l'importance de la prédication comme garant de la mémoire chrétienne.

Si Paul est le premier théologien chrétien, il a ouvert la voie à de nombreux successeurs parmi lesquels Origène, Augustin, Thomas D'Aquin, Luther et Calvin, K. Barth et K. Rahner, véritables agents de la mémoire chrétienne, à côté des moines ou des évêques, sans oublier les prêtres au niveau paroissial et les femmes dans la vie familiale. L'accent mis en Occident sur la doctrine n'a cessé de se renforcer depuis la scholastique jusqu'à l'Aufklärung au point de menacer de réduire la foi à un ensemble de propositions[11]. Ici encore le rôle du théologien est sans égal dans les autres traditions religieuses.

Ce privilège quasi exclusif accordé à la parole claire et intelligible dans la transmission de la vérité chrétienne n'est pas sans danger, ainsi qu'il ressort aujourd'hui de la pratique du catéchisme, lieu par excellence de la communication de la mémoire chrétienne à la nouvelle génération. Après avoir été longtemps un échange pré-établi de questions et de réponses comme condition préalable de participation à la communauté chrétienne et à l'eucharistie, il devient aujourd'hui un lieu de vie où la foi est expérimentée, vécue avant d'être expliquée et analysée[12]. On rejoint par là la succession de la catéchèse hébraïque: «nous ferons et nous écouterons» (Ex 24, 7). En effet l'excroissance de la mémoire intellectuelle aux dépens de la mémoire visuelle, gestuelle et symbolique n'est assurément pas sans rapport avec la fossilisation et avec la marginalisation progressives de la tradition chrétienne en Occident.

[11] Sur le rapport entre foi et croyance dans les différentes traditions religieuses, cf. Smith (1979).

[12] Ainsi le souci de partir de la vie pour aller à l'Ecriture, le recours à des week-ends ou la participation des enfants à l'eucharistie.

## *II «Souviens-toi!» leitmotiv biblique*

C'est un fait que les vocables relatifs à la mémoire jouent un rôle important tant dans la Bible hébraïque – avec plus de 200 emplois du verbe *zakar* – que dans la Septante et le Nouveau Testament avec les mots apparentés à *mimnēískomai*[13]. La racine sémitique *dkr* se trouve notamment en akkadien: *zakaru* au sens de dire, nommer, jurer, et en arabe *dhakara* qui signifie avoir à l'esprit, rappeler, mentionner, citer, d'où le substantif *dhikr*, remémoration, «l'acte de faire souvenir, puis la mention orale du souvenir, spécialement la répétition inlassable d'une oraison jaculatoire, enfin la technique même de cette mention»[14].

En hébreu il s'agit moins d'un effort de mémoire ou d'un souvenir intérieur mais bien de rappel, de mention, d'évocation à haute voix; ainsi le *mazkir* est le héraut du roi, à la fois porte-parole et maître de cérémonie (II S 8, 16; Es 36, 3 et 22; IICh 34, 8 etc) et *zeker* désigne la mention, parallèle au nom: «C'est là mon nom pour toujours, c'est là mon invocation d'âge en âge» (Ex 3, 15). A côté de *azkara*, la partie de l'offrande que l'on fait brûler comme mémorial (Lev 2, 2; Lev 24, 7; Nb 5, 26 etc) il convient de citer le *zikkaron*[15] qui a le sens de rappel, souvent matériel, de mémorial: protocole (Ex 17, 20; Ml 3, 16; Est 6, 1 etc), rappel à l'intention de Dieu tel que l'impôt du recensement (Ex 30, 16) ou la fête devenue Rosh-ha-Shana (Lev 23, 24), et à l'intention des hommes avec la Pâque (Ex 12, 14) ou les pierres du Jourdain (Jos 4, 7); le même mot peut encore désigner un exposé (Job 13, 12), un souvenir (Qo 1, 11) ou un symbole phallique (Es 57, 8).

En grec le terme le plus utilisé est *mimnēískomai*, se souvenir avec ses composés *anamimnēískō* et *hupomimnēískō*, remémorer, mentionner, avec les substantifs *anámnēsis* et *hupómnēsis*, rappel, mention. De la même racine *mnēm*, elle-même dérivée de l'indo-européen *men*, relatif à l'esprit, on trouve en particulier *mneía*, mention, *mnē̂ma*, *mnēmeîon*, tombeau, monument commémoratif, *mnḗmē*, mémoire (accessoirement la mère des Muses), *mnēmoneúō*, rappeler, mentionner et *mnēmósunon*, souvenir.

### *1. La mémoire entre Dieu et les humains*

Loin d'être à sens unique, la mémoire dans la tradition biblique concerne autant Dieu que les humains; elle est de fait un aspect central de leur relation. Que devient en effet une alliance scellée dans un lointain passé sans la mémoire de cette alliance? Quel est le sens d'une promesse que Dieu aurait oubliée, ou la valeur d'un engagement dont

[13] Michel; Eising.

[14] Gardet.

[15] Attesté 24 fois; cf. Schttroff (1964), pp. 299–328; ainsi que Childs (1962).

les partenaires ne se souviendraient plus? Les textes ne manquent pas pour dire que Dieu se souvient de l'alliance contractée avec les patriarches: Noé et le signe de l'arc-en-ciel (Gn 9, 15–16, et plus souvent Abraham, Isaac et Jacob (Lev 26, 42 et 46 notamment).

Par mémoire il faut moins voir un effort de l'esprit pour se plonger dans le passé que l'actualisation de ce passé *hic et nunc*. C'est dire que l'évocation par Dieu de l'alliance provoque une situation nouvelle dans le présent: «Quand Dieu se souvient de quelqu'un ce n'est pas seulement pour évoquer son nom dans sa mémoire; c'est pour se tourner vers lui et intervenir en sa faveur»[16] (Gn 8, 1 à propos de Noé, Gn 19, 29 pour Loth, Gn 30, 22 pour Rachel, I S 1, 11 et 19 pour Anne). La mémoire est synonyme de grâce dans la mesure où elle prévient la colère divine selon Ps 106, 45: «Il se souvient de son alliance avec eux, et dans sa grande fidélité il se ravisa» (cf aussi Ex 32, 13; Dt 9, 27).

C'est dans ce contexte d'une mémoire active et prévenante qu'il faut entendre les nombreux appels à Dieu de se souvenir: *zekor* (TM) *mnēsthēti* (LXX) *memento* (Vulgate): notamment Samson (Jg 16, 28); Ezekias (II R 20, 3) et surtout dans les Psaumes (74, 2; 89, 51; 106, 4; etc). Ce qui est rappelé à Dieu c'est foncièrement l'alliance initiale et la faiblesse ou la détresse présente, dans l'attente que cesse l'épreuve; au contraire il est demandé à Dieu d'oublier les égarements de celui qui prie: «Seigneur, pense (*zekor*) à la tendresse et à la fidélité que tu as montrées depuis toujours! Ne pense plus (*altizekor*) à mes péchés de jeunesse ni à mes fautes; pense à moi (*zekar-li*) dans ta fidélité, à cause de ta bonté, SEIGNEUR» (Ps 25, 6–7). Plus tard chez Néhémie, Dieu est invité à se souvenir de la fidélité de ses serviteurs (Ne 5, 19; 6, 14; 13, 14 etc).

Quant à la mémoire humaine, c'est le Deutéronome qui met le plus l'accent sur la nécessité de remémorer les actions de Dieu et ses commandements (Dt 5, 15; 8, 2 et 18; etc). Il s'agit à la fois de maintenir vivante l'expérience des pères et de se garder de toute désobéissance par ignorance ou arrogance; à ce titre, la servitude en Egypte et l'exode (Dt 15, 15; 24, 18–22; etc) sont au cœur de la mémoire transmise de générations en générations. Le fait que l'obéissance importe plus que l'information proprement dite permet de discerner le lien avec une seconde fonction du souvenir: l'appel à la repentance en gardant présentes à l'esprit ses propres fautes, dans Dt 9, 7, mais surtout dans la deuxième partie du livre d'Esaie (Es 43, 26; 44, 21; 48, 8–9) et plus tard dans le Siracide (7, 16 et 28; 14, 12; 18, 24–25 etc).

[16] Leenhardt (1948), p. 19.

### *La mémoire dans la prédication apostolique*

Dans le Nouveau Testament[17] il est aussi question de la mémoire de Dieu, toujours dans des textes issus de la tradition hébraïque comme les cantiques de Marie et de Zacharie (Lc 1, 54 et 72), plusieurs citations dans l'épître aux Hébreux (2, 6; 8, 12; 10, 17) ou le contexte apocalyptique (Ap 16, 19; 18, 5) à propos des péchés de Babylone. Un récit mérite particulièrement l'attention, c'est la vision de Corneille dans laquelle un ange déclare au centurion: «Tes prières et tes louanges se sont dressées en mémorial devant Dieu» (Ac 10, 4 et 31).

Si la mémoire ne joue pas un rôle essentiel dans l'enseignement de Jésus, le fait est que ses disciples se sont souvenus de ses paroles qui ont guidé leur propre enseignement, notamment Pierre à propos du baptême de l'Esprit (Ac 11, 16), Paul au sujet de la cène (I Cor 11, 23) et plus globalement pour l'ensemble de la doctrine chrétienne. Ce processus est confirmé par l'existence d'une source des *logia* ou paroles de Jésus très tôt insérées dans le cadre narratif que constituent les évangiles eux-mêmes. C'est autour de la mort de Jésus que la mémoire joue un rôle décisif, depuis la triple annonce de la passion (Mc 8, 31–33; 9, 30–32; 10, 33–34 et parallèles), jusqu'à la reconnaissance du ressuscité, notamment chez Luc 24, 6 et 8).

L'Evangile de Jean développe avec le plus de netteté et d'originalité le rôle de la mémoire des paroles de Jésus chez les disciples (Jn 2, 17 et 22; 12, 16). En effet à la lumière de l'Esprit, la mémoire devient source d'une compréhension nouvelle: «Le Paraclet, l'Esprit Saint que le Père enverra en mon nom, vous enseignera toutes choses et vous fera ressouvenir de tout ce que je vous ai dit» (Jn 14, 26). Il est possible de considérer ce texte comme la clé de la mémoire chrétienne à la fois fidèle et créatrice dans son rapport à l'enseignement du maître.

Chez Paul, et plus tard dans les épîtres pastorales, il est souvent fait appel à la mémoire des interlocuteurs dans les exhortations apostoliques. On peut schématiquement discerner trois principales orientations: 1) le rappel des premiers moments de l'engagement personnel dans le but de ranimer la foi (II Tm 1, 6; He 10, 33; Ap 2, 5); 2) le rappel de l'enseignement et de la confession de la foi comme un dépôt à conserver (II Tm 2, 8 et 14; Tit 3, 1); 3) le rappel du modèle que constituent les apôtres eux-mêmes et notamment Paul face aux divisions des Corinthiens (I Co 4, 7; 11, 2).

Finalement la deuxième épître dite de Pierre (et celle, parallèle, de Jude) accorde une importance particulière à la mémoire de la tradition apostolique au moment où celle-ci paraît menacée à la fois par la disparition des apôtres eux-mêmes et par les divisions internes des

[17] Dahl (1948).

communautés chrétiennes (II P1, 12–15; Jd 5). C'est dans la même lettre que l'on trouve la première attestation de la fixation de la tradition néotestamentaire, conjointement à la Bible hébraïque, en même temps que l'annonce de l'accent doctrinal de la mémoire chrétienne: «Je fais appel à vos souvenirs pour stimuler en vous la juste manière de penser: souvenez-vous des paroles dites à l'avance par les saints prophètes et du commandement de vos apôtres, celui du Seigneur et Sauveur!» (II P 3, 1–2).

## *III Mémoire et récit de la passion*

Chaque texte relatif à la mémoire mériterait une étude approfondie, de manière à mettre en évidence les multiples facettes de la mémoire chrétienne. Nous nous contenterons d'évoquer ici un raccourci de cette mémoire, à savoir le récit de la passion de Jésus de Nazareth. S'il n'épuise pas la mémoire chrétienne constituée notamment par les confessions de foi, la lecture de la Bible, l'élaboration doctrinale, l'enseignement parénétique, le souvenir des saints etc, son importance est confirmée par la place qu'il occupe dans les évangiles et la vie de l'Eglise jusqu'à aujourd'hui, sans oublier qu'il contient le rite central de la mémoire chrétienne que constitue dans la tradition chrétienne universelle le partage du pain et de la coupe en mémoire de la mort et de la résurrection de Jésus.

Le lien entre les récits de la passion de Jésus et la mémoire est double: d'une part il y est très fréquemment fait allusion à la mémoire, ainsi que nous le verrons, et d'autre part ces récits constituent eux-mêmes l'une des premières fixations de la mémoire des disciples. A la différence de l'ensemble de la narration évangélique qui a trait à la mission de Jésus, la passion forme un récit cohérent portant sur un peu plus de 24 heures[18]. La rupture par rapport à la rédaction des chapitres précédents comme aussi la remarquable proximité des quatre évangiles, à nouveau distendue à propos des récits de la résurrection, conduisent la plupart des critiques à postuler l'existence d'un récit primitif de la passion[19], point de départ des évangiles, considérés depuis M. Kaehler comme «des histoires de la passion avec une introduction détaillée[20]». A côté de l'expression hymnique des premières confessions de foi et de la fixation des paroles de Jésus, la passion est la première formulation narrative de la mémoire chrétienne.

[18] Respectivement: Mc 14–15; Mt 26–27; Lc 22–23 et Jn 18–19.

[19] Pour une présentation de la question, Léon-Dufour; ainsi que Bultmann (1973), pp. 337 sqq.

[20] Kaehler (1961), p. 60.

Son importance ne s'est jamais démentie au cours des siècles. Dans l'année liturgique, ce que l'on appelle à partir du IV^e siècle la «grande semaine» puis la «semaine sainte» occupe une place unique confirmée par les 40 jours de préparation qu'est le carême. Que l'on songe aux représentations théâtrales des mystères à la fin du Moyen-Age tant en Occident qu'en Orient et jusqu'à la célèbre passion d'Oberammergau, à la pratique du chemin de croix le long de la *via dolorosa* à Jérusalem et dans toutes les églises catholiques du monde, ou aux méditations sur les sept paroles de la croix. Dans la vie culturelle on peut parler d'une véritable dramaturgie de la passion, en particulier les trois derniers jours de la semaine avec l'obscurité et les couleurs sombres dans les églises, le silence des cloches; jeudi, lavement des pieds, réel ou symbolique; vendredi, adoration de la croix ou vénération du tombeau, chemin de croix, lecture intégrale du récit de la passion; samedi, vigile pascale avec baptême des catéchumènes, bénédiction de l'eau et illumination du cierge pascal ou grande nuit pascale dans la tradition orthodoxe.

Le récit même de la passion est une remarquable illustration du principe déjà évoqué de la conformité à l'Ecriture. Le plus ancien récit, celui de Marc, ne fait que reprendre un processus antérieur que Matthieu, Luc et Jean prolongent à leur tour[21]. A côté de trois ou quatres références explicites (Mc 14, 21, 27 et 41; éventuellement 15, 28), citations et allusions s'intègrent dans le cours même du récit dont elles sous-tendent la structure. Un inventaire de ces citations chez Marc[22] met en lumière l'importance des psaumes, notamment le psaume 22, dans la trame du récit. De son côté Matthieu ajoute trois citations (Mt 26, 15 et 27, 9–10) et une référence à l'accomplissement de l'Ecriture (Mt 26, 54), thème central de cet évangile que l'on retrouve chez Luc (23, 49; 24, 26) et surtout chez Jean (19, 23–24; 19, 30). Dans cette interpénétration du récit et de la référence scripturaire, il convient encore de mentionner les signes accompagnant la mort de Jésus tels que l'obscurité (Mc 15, 33), le déchirement du voile du Temple (Mc 15, 38) et encore l'ouverture des tombeaux (Mt 27, 51–53): ils paraissent relever directement du genre littéraire du *midrash* de textes prophétiques[23].

Le thème de la mémoire proprement dite, à propos de la passion, est annoncé dans les synoptiques par la triple annonce de la passion et la conscience que Jésus avait de son destin (Mc 14, 8, 18–21, 27, 30–31)

[21] Cf. Flesseman-Van Leer (1968).

[22] Respectivement: Ps 41, 10 (Mc 14, 18); Za 13, 7 (Mc 14, 27); Ps 110, 1 / Dn 7, 13 (Mc 14, 62); Ps 22, 19 (Mc 15, 24); Ps 22, 8 (Mc 15, 29); Ps 22, 2 (Mc 15, 34); Ps 69, 22 (Mc 15, 36); Es 53 12 (Mc 15, 28) sous l'influence de Lc 22, 37.

[23] Notamment Am 8, 9–10; Es 26, 19; Ez 37, 12 et Dn 12, 2.

et chez Jean par les mentions du souvenir dans les discours d'adieu (Jn 14, 26; 15, 20 et 16, 4). Dans le récit même de la passion il est fait explicitement mention de la mémoire à six reprises dans des contextes différents mais chaque fois importants.

1. *l'onction à Béthanie:* le récit de la femme anticipant la mise au tombeau de Jésus en versant du parfum sur sa tête s'achève par la déclaration solennelle qu'on racontera son geste en même temps que l'Evangile, en mémoire d'elle (*eis mnēmósunon* Mc 14, 9 // Mt 26, 13). Ici c'est la valeur de signe, au sens des prophètes bibliques, qui donne tout son sens à ce geste que les générations futures auront soin de se remémorer.

2. *le dernier repas:* de manière explicite chez Luc, le dernier repas de Jésus se trouve à la convergence de deux mémoires: la mémoire pascale réactualisant la sortie d'Egypte selon un rituel bien établi[24] et l'ordre de réitération: «Faites ceci en mémoire de moi» (*eis anámnēsin*: Luc 22, 19; I Cor 11, 24 et 25) dont J. Jérémias a montré qu'il signifie non pas «pour que vous vous souveniez de moi» mais plus probablement «afin que Dieu se souvienne de moi»[25]. Les paroles explicatives de Jésus à propos du pain et de la coupe établissent un lien fondé sur l'anamnèse, entre sa mort, le repas partagé et le Royaume.

3. *le reniement de Pierre*: au chant du coq, Pierre se souvint (*anemnḗsthē*: Mc 14, 72; *emnḗesthē*: Mt 26, 75; *hupemnḗsthē*: Lc 22, 61) de l'annonce que Jésus lui avait faite de son reniement. Ici le souvenir est synonyme de prise de conscience de son péché, et par là-même de repentir exprimé par les larmes. C'est en quelque sorte l'image inversée de l'onction à Béthanie: lui le disciple bien connu se désolidarise de son maître, elle la femme méconnue rend hommage à Jésus en signe d'allégeance – elle qui verse son parfum à l'avance et lui, des larmes à retardement.

4. *le second malfaiteur crucifié*: dans un texte propre à Luc, celui que la traditions pieuse appelle le «bon larron» demande à Jésus: «souviens-toi de moi . . .» (*mnḗsthēti*: Lc 23, 42), reprenant une formule classique de la prière des mourants qui s'inspire directement de l'intercession des psaumes, mais où le nom de Jésus occupe la place du nom divin. Son attitude contraste avec la provocation de l'autre supplicié, et plutôt que de repentance, il faut parler d'un appel à la seule grâce de Dieu.

[24] Sur l'anamnèse dans le rituel pascal, cf. *Haggada de Pessah*. Les textes sacrés, Paris 1925; Bonsirven (1954), pp. 200–218: «Pesahim».

[25] Jeremias (1972), pp. 283–305; sur le caractère pascal du dernier repas et la double tradition Mc/Mt et Lc/Paul, pp. 11–96.

5. *le tombeau de Jésus*: comme dans toutes les sociétés humaines, le tombeau est un monument commémoratif, ce que le grec exprime par les mots *mnêma* (Mc 15, 46; Lc 23, 53) ou *mnēmeîon* (Mt 27, 60; Jn 19, 41) dérivés directement de la racine *mnē*. Le mot revient encore à deux reprises chez Matthieu à propos des morts sortis des tombeaux (Mt 27, 52 et 53). Toujours selon Matthieu, les autorités juives se sont souvenues (*emnēsthēmen*: Mt 27, 63) que Jésus avait annoncé sa résurrection, et organisent en conséquence la garde du tombeau. Ici le souvenir est marqué du signe négatif, attestant la persistance dans l'opposition à Jésus et à travers lui, à Dieu.

6. *le message de la résurrection*: débordant le cadre strict des récits de la passion, il convient de mentionner le thème développé par Luc de la reconnaissance de la nouveauté radicale de la résurrection, par référence aux paroles de Jésus (Lc 24, 6 et 8) et à l'enseignement des Ecritures (Lc 24, 25–27). Ici la foi chrétienne dans ce qu'elle a de plus fondamental est intimement liée à la mémoire, au point qu'elle demeure inaccessible en dehors du souvenir réactualisé de l'enseignement de Jésus lui-même, et des prophètes avant lui.

Le récit de la passion suffit à montrer à la fois la diversité des modalités de la mémoire chrétienne (référence scripturaire, modèle à suivre, repentance, remise à la grâce de Dieu, rappel historique, reconnaissance du ressucité) et le caractère central de la mort de Jésus de Nazareth. Une étude historique indiquerait aisément les prolongements de cette mémoire dans l'enseignement et la vie de l'Eglise, particulièrement dans la liturgie: confession des péchés, confession de la foi, lecture biblique, homélie, communion des saints. Je terminerai par quelques remarques sur la cène/eucharistie, à la fois parce qu'elle est un condensé de la mémoire chrétienne sous un aspect rituel et pas seulement discursif, et parce qu'elle est au cœur du débat œcuménique contemporain.

En effet on assiste depuis une vingtaine d'années à une revalorisation du sens du repas du Seigneur comme mémorial ou anamnèse (*zikkaron / anámnēsis / memoriale* en latin). Ainsi du côté catholique on parle de l'eucharistie comme du mémorial de la mort et de la résurrection du Christ ou simplement de mémorial du Seigneur (*memoriale Domini*)[26].

[26] Le texte dit de Lima de «Foi et constitution» du COE parle de «mémorial du Christ crucifié et ressucité», cf. *Baptême, eucharistie, ministère*, ch. 2 n° 5, Paris 1982. De même la constitution sur la sainte liturgie de Vatican II, ch. 2 n° 47; cf. Tillard (1964).

Du côté protestant aussi l'anamnèse apparaît comme essentielle à la compréhension de la cène[27].

Il est intéressant de noter que cet approfondissement de la notion biblique d'anamnèse permet aujourd'hui de surmonter les grandes controverses du XVI^e siècle entre catholiques et protestants autour des notions de sacrifice, unique ou réitéré, de présence réelle (transsubstanciation et consubstanciation) et d'efficacité *ex opere operato*. Ce n'est assurément pas un hasard si le consensus œcuménique se rapproche du repas pascal pour décrire les éléments constitutifs de la liturgie eucharistique[28]: action de grâce à l'image des *berakot*, rappel de l'institution et mention des actes du salut de Dieu, invocation de la présence de l'esprit de Dieu, participation des fidèles par le manger et le boire, et anticipation du Royaume eschatologique.

Dans le rite du repas du Seigneur, il s'agit fondamentalement de rendre présent devant Dieu un événement passé, le sacrifice du Christ, sa mort, pour avoir part présentement à la grâce qui en découle, dans l'attente de l'accomplissement final qu'est le salut. Tel est le sens de la mémoire en acte qui est au cœur de la foi chrétienne.

## Bibliographie


Amsler, Samuel. 1960. *L'Ancien Testament dans l'Eglise*. Neuchâtel: Delachaux & Niestlé.

Bonnard, Pierre. 1961. L'anamnèse, structure fondamentale de la théologie du Nouveau Testament. Réédité dans Bonnard, Pierre. 1980. *Anamnesis. Recherche sur le Nouveau Testament*, pp. 1–11. Epalinges: Impr. La Concorde.

Bonsirven, Joseph. 1954. *Textes rabbiniques des deux premiers siècles chrétiens*. Vatican: Pontificio Ist. Biblico.

Bultmann, Rudolph. 1973. *L'histoire de la tradition synoptique*. Paris: Seuil.

Childs, Brevard S. 1962. *Memory and Tradition in Israel*. Londre: SCM Press.

Dahl, Nils A. 1948. Anamnesis. *Studia Theologica* 2: 69–95.

Deichgräber, Reinhard. 1967. *Gotteshymnus und Christushymnus in der frühen Christenheit*. Göttingen: Vandenhoeck & Ruprecht.

Denzinger, Heinrich et Adolf Schönmetzer. 1965. *Enchiridion symbolorum, definitionum et declarationum de rebus fidei et morum*. Freiburg: Herder.

Dodd, Charles H. 1964. *La prédication apostolique*. Paris: Ed. Universitaires.

Dodd, Charles H. 1972. *Comprends-tu ce que tu lis? Initiation au sens de l'Ancien Testament*. Paris.

Eising, H. 1977. zākar, in *Theologisches Wörterbuch zum Alten Testament*. T. II, cc. 571–593. Stuttgart.


[27] Notamment à la suite des travaux de Leenhardt (1948, 1955 et 1960). Cf. aussi Thurian (1959), ainsi que le document de Bristol, *Document Faith and Order* 54 (1967), pp. 2 sqq.

[28] Selon les subdivisions du document «Eucharistie» in *Baptême, eucharistie, ministère*, pp. 31–42.

Flesseman-Van Leer, Ellen. 1968[3]. «Die Interpretation der Passionsgeschichte vom Alten Testament aus» in *Zur Bedeutung des Todes Jesu.* Edité par H. Conzelmann, pp. 79–96. Gütersloh.
Gardet, Louis. 1977. Dhikr, in *Encyclopédie de l'Islam.* T. II. p. 230. Leyden.
Grelot, Pierre. 1962[2]. *Sens chrétien de l'Ancien Testament.* Paris: Desclée.
Jeremias, Joachim. 1972. *La dernière cène.* Paris: Ed. du Cerf.
Kaehler, Martin. 1961 (1896). *Der sogenannte historische Jesus und der geschichtliche, biblische Christus.* München: Kaiser.
Leenhardt, Franz-J. 1948. *Le sacrement de la sainte cène.* Neuchâtel: Delachaux & Niestlé.
Leenhardt, Franz-J. 1955. *Ceci est mon corps.* Neuchâtel: Delachaux & Niestlé.
Leenhardt, Franz-J. 1960. La présence eucharistique. *Irenikon* 33: 146–172.
Léon-Dufour, Xavier. 1960. Passion, in *Dictionnaire de la Bible, Supplément.* T. VI, cc. 1419–1491. Paris.
Michel, Otto. 1942. Μιμνῄσκομαι, in *Theologisches Wörterbuch zum Neuen Testament.* T. IV, pp. 678–687. Stuttgart.
Moule, Charles F.D. 1971. *La genèse du Nouveau Testament.* Neuchâtel: Delachaux & Niestlé.
Rothfuchs, Wilhelm. 1969. *Die Erfüllungszitate des Matthäus-Evangeliums.* Stuttgart.
Sanders, Jack T. 1971. *The New Testament Christological Hymns, Their Historical Religious Background.* Cambridge: University Press.
Schottroff, Willy. 1964. *Gedenken im Alten Orient und im Alten Testament.* Neukirchen-Vluyn.
Smith, Wilfred C. 1962. *The Meaning and End of Religion. A Revolutionary Approach to the Great Traditions.* New York.
Smith, Wilfred C. 1965. «Traditional religions and modern culture», in *The Impact of Modern Culture on Traditional Religions* (Proceedings of the XIth International Congress of the I.A.H.R. Claremont 1965). Vol. I, pp. 55–72. Leiden.
Smith, Wilfred C. 1979. *Faith and Belief.* Princeton.
Sogbroeck van, F. 1972. «Les citations d'accomplissement . . .», in *L'Evangile selon Matthieu. Rédaction et théologie.* Edité par M. Didier, pp. 107–130. Gembloux.
Stendhal, Krister. 1967. *The School of Matthew.* Lund.
Thurian, Max. 1959. *Mémorial du Seigneur.* Neuchâtel: Delachaux & Niestlé.
Tillard, Jean M.R. 1964. *L'eucharistie, Pâque de l'Eglise.* Paris: Ed. du Cerf.
Wengst, Klaus. 1972. *Christologische Formeln und Lieder des Urchristentums.* Gütersloh.

MICHEL TARDIEU

# Théorie de la mémoire et fonction prophétique

La question de la mémoire est au cœur de la fonction prophétique. Elle permet de comprendre les mécanismes essentiels qui constituent en communauté organisée et en système d'idées la prise de conscience historique d'un fondateur religieux. Mémoire à la fois personnelle et collective, puisque ce qui est rappelé ou annoncé au prophète dans ses visions a pour but la cohésion d'un groupe humain autour d'une histoire qui ne fut pas la sienne ou ne sera pas la sienne, mais qu'il s'approprie.

Trois témoignages, provenant d'auteurs musulmans et concernant la fonction prophétique en islam et, avant lui, dans le manichéisme, serviront de point de départ à un examen du rôle de la mémoire en prophétologie.

Un premier *ḥadīṯ*, rapporté dans le *Ṣaḥīḥ* d'al-Buḫārī, affirme sans ambiguïté la prédestination du prophète Muḥammad: «J'ai été envoyé du meilleur des siècles des Banū Adam, siècle après siècle, jusqu'à ce que je sois de ce siècle-ci où je suis»[1]. L'*isnād*, ou chaîne des transmetteurs (*rāwiyūn*) qui précède le texte (*matn*) de la parole attribuée à Muḥammad, établit l'authenticité du *ḥadīṯ* par une double tradition, ᶜAmr et Saᶜīd al-Maqburī, ayant son point de départ chez Abū Hurayra, compagnon du Prophète lui-même[2]. Une affirmation également explicite de la préexistence de l'Envoyé se rencontre dans un dit de Jésus rapporté par la tradition johannique: «En vérité, en vérité, je vous le dis, avant qu'Abraham fût, je suis»[3].

Un second *ḥadīṯ* concerne l'emplacement du sceau de la prophétie. Al-Sā'ib b. Yazīd y raconte comment, étant encore enfant, il fut présenté à Muḥammad par sa tante maternelle: «Ô Envoyé de Dieu, lui dit-elle, voici le fils de ma sœur qui a la plante des pieds endolorie. – Le Prophète, poursuit al-Sā'ib, me passa la main sur la tête et appela sur moi les bénédictions du ciel. Ensuite il fit ses ablutions et je bus le reste de l'eau (dont il s'était servi). Puis je me tins debout derrière lui et j'aperçus le sceau de la prophétie (*ḫātam an-nubūwa*) entre ses

[1] Al-Buḫārī, Ṣaḥīḥ, LXI 23, 16, édition de Beyrouth, Dār al-Fikr, 1981, t. 2, fasc. 2, p. 166, lignes 11–12.

[2] *Ibid.* p. 166, lignes 10–11.

[3] Jn 8, 58.

omoplates; ce sceau ressemblait au bouton d'une tapisserie (*zirr al-ḥağala*)»[4]. Selon le *Lisān al-ᶜArab* qui cite le *ḥadīṯ* à propos de chacun des deux termes de l'expression *zirr al-ḥağala*, cette dernière signifie le bouton (*zirr*), en forme de noix (*ğawza*) incrustée, ornant la ganse ou boutonnière (*ᶜurwa*) du voile nuptial (*ḥağala*)[5]. Compris comme marque extérieure de l'authentification du vrai prophète, ce sceau ou cachet (*ḫātam*) aurait été, selon l'historiographie musulmane, constaté par le moine chrétien Baḥīrā, lors d'un voyage caravanier que Muḥammad âgé de douze ans aurait fait en compagnie de son oncle, Abū Ṭālib, jusqu'aux portes de Buṣrā (=Bostra) en Syrie:

«Il y a aux portes de la ville un couvent où résidait un moine nommé Baḥīrā, qui avait lu les anciens écrits et y avait trouvé la description du Prophète. Il y avait près de là une station où s'arrêtaient toutes les caravanes qui y passaient. La caravane d'Abū Ṭālib y arriva pendant la nuit. Quand le jour fut venu, laissant brouter les chameaux, les gens se mirent à dormir. Muḥammad était assis et gardait leurs effets. Lorsque le soleil devint plus chaud, un nuage ayant la forme d'un grand bouclier vint ombrager la tête du Prophète. Voyant cela, le moine ouvrit la porte du couvent et en sortit: les gens de la caravane se réveillèrent. Baḥīrā prit Muḥammad sur son cœur et l'interroga sur sa position, sur son père, sa mère et son grand-père. Muḥammad lui raconta tout, ainsi que l'histoire des anges qui lui avaient ouvert le corps, exactement comme cela s'était passé. Baḥīrā lui demanda ce qu'il voyait la nuit en songe, et Muḥammad le lui dit. Tout cela s'accordait avec ce que Baḥīrā avait trouvé dans les livres. Ensuite il regarda entre ses épaules et y aperçut le sceau de la prophétie. Alors il dit à Abū Ṭālib: Cet enfant, que t'est-il? L'autre répondit: C'est mon fils. Baḥīrā dit: Il est impossible que son père soit vivant. Abū Ṭālib dit alors: C'est mon neveu. Baḥīrā demanda: Où le mènes-tu? L'autre dit: En Syrie. Baḥīrā dit: Celui-ci est le meilleur de tous les hommes de la terre et le Prophète de Dieu. Sa description se trouve dans tous les écrits de l'ancien temps, ainsi que son nom et sa condition. J'ai maintenant soixante et dix ans, et il y a bien longtemps que j'attends sa venue comme prophète. Je te conjure par Dieu de ne pas le conduire en Syrie, de peur que les juifs ou les chrétiens ne le voient et ne te l'enlèvent. Ils ne pourront pas le tuer, parce que personne ne peut enfreindre la décision de Dieu; mais il se peut qu'ils

[4] Al-Buḫārī, Ṣaḥīḥ, IV 40, 3, t. 1, fasc. 1, p. 55, 21–56, 3. J'ai suivi la traduction donnée par O. Houdas et W. Marçais, *El-Bokhâri. Les traditions islamiques*, t. 1, Paris Leroux, 1903, p. 83; voir également t. 2, p. 549.

[5] *Lisān al-ᶜArab*, éditions du Caire, Dār al-Maᶜārif, 1979, t. 2, p. 788a et t. 3, p. 1824c.

l'estropient des mains ou des pieds ou du corps. Renvoie-le chez lui à la Mecque»[6].

Le récit contient plusieurs leitmotiv empruntés à la littérature chrétienne des enfances de Jésus: scène du Temple où a lieu la rencontre de Jésus âgé de douze ans avec les docteurs[7], épisode de Syméon et Anne qui authentifient la venue du Messie par le rappel d'anciens écrits[8]. Syméon et Baḥīrā trouvent dans la mémoire écrite des prophètes l'argument qui agrège tel nouveau venu, comme dernier maillon d'une chaîne, à la série des manifestations divines antérieures.

Le thème de la chaîne était clairement énoncé, trois siècles auparavant, au début du *Šābuhragān* de Mani, dont un fragment est transmis par al-Bīrūnī: «La sagesse et la connaissance sont ce que les Envoyés (*rusul*) de Dieu ne cessèrent de porter de période en période. Ainsi, elles sont apparues dans un des siècles par l'intermédiaire de l'Envoyé (*rasūl*) appelé al-Budd (= Bouddha) dans les contrées de l'Inde, et en un autre par l'intermédiaire de Zaradāšt (= Zoroastre) dans le pays de Perse, et en un autre par l'intermédiaire de ᶜIsā (= Jésus) dans le pays d'Occident. Puis est descendue cette révélation et a paru cette prophètie en ce siècle présent par mon intermédiaire, moi, Mani, Envoyé (*rasūl*) du Dieu de la vérité dans le pays de Babel»[9].

Ce texte du début du *Šābuhragān* a été résumé par al-Šahrastānī dans le *Kitāb al-Milal*: «Quant aux Lois et aux prophètes, la croyance de Mani était la suivante. Le premier que Dieu (qu'il soit exalté!) envoya avec la connaissance et la sagesse fut Adam, le père de l'humanité. Ensuite, Dieu envoya Seth. Ensuite Noé. Ensuite Abraham. Puis il envoya Bouddha à la terre de l'Inde, Zoroastre à la terre de Perse, le Christ (le Verbe de Dieu et son Esprit) à la terre de Byzance et à l'Occident, et Paul (après le Christ) aux mêmes. Puis le Sceau des prophètes viendra à la terre des Arabes»[10]. Dans son commentaire, G. Monnot fait remarquer avec pertinence qu'al-Šahrastānī a corrigé la doctrine de Mani en fonction de celle du Coran sur trois points: introduction du nom d'Abraham dans la liste des prophètes antérieurs à Mani, mention des Arabes comme destinataires ultimes de la

[6] H. Zotenberg, *Chronique de Tabari*, t. 2, Paris 1869, p. 244–245; Zotenberg suit la version persane du *Ta'rīḫ*, faite par Balᶜamī peu de temps après la mort de Ṭabarī (310 H./923). Texte arabe original dans l'édition de M.J. de Goeje, t. 1/4, Leyde 1881–82, p. 1123–25. Autre version dans Guillaume (1982), p. 79–81.

[7] Lc 2, 41–52; Bauer (1909), p. 87–90.

[8] Lc 2, 18–38; Caetani (1905), t. 1, p. 160–162.

[9] Al-Bīrūnī, *Kitāb al-āṯār al-bāqiya*, éd. E. Sachau, t. 2, Leipzig 1878, p. 207, 14–18 = Afšār-e Šīrāzī (1956), p. 204; texte corrigé dans Tardieu (1981), p. 477–479.

[10] Texte arabe dans Afšār-e Šīrāzī (1956), p. 244; je suis la traduction de G. Monnot, dans D. Gimaret et G. Monnot (1986), p. 661–662.

prophétie, application à Muḥammad seul du titre manichéen de «sceau des prophètes»[11].

Les témoignages cités permettent de dégager quatre aspects de la fonction prophétique, telle qu'elle a pris naissance dans le judéochristianisme au sens strict, et s'est développée chez les gnostiques, les manichéens jusqu'à l'islam naissant[12]:

1. Dieu ne pouvant laisser la terre sans manifestations divines, l'histoire est faite d'une série ininterrompue de prophètes depuis Adam. 2. Le prophète véritable est celui qui clôt la chaîne des prophètes. D'où son titre de «sceau de la prophétie» ou «des prophètes». 3. Par sa fonction de récapitulation des anciennes prophéties, le prophète véritable est au terme de la chaîne, mais aussi à son début. Il est donc, d'une certaine façon, prédestiné comme tel dans la pensée de Dieu. C'est cette prédestination qui donne à la révélation transmise son caractère d'infaillibilité. 4. La prédestination du prophète à la fonction de scellement des révélations antérieures peut apparaître sur son corps par une marque, que la tradition islamique place entre les omoplates de Muḥammad.

Ces différentes caractéristiques de la fonction prophétique peuvent s'expliquer par une théorie de la mémoire, que l'on trouve explicitée dans le manichéisme. Pour bien poser le problème, il convient d'abord de rappeler que les manichéens se représentent le monde comme un univers compartimenté: innombrables *thesauri* qui composent la terre de la lumière, organisation de la terre de la ténèbre en *tamieîa*, monde essentiellement cloisonné, conçu sur le modèle d'un magasin où les marchandises sont entreposées, d'un grenier où sont entassés et répertoriés vivres et grains.

La fonction prophétique n'échappe pas à ce compartimentage. Elle s'exerce dans le temps présent mais comme terme ultime d'un temps lointain, supposé ponctué par des révélations écrites où sont puisés les arguments de l'infaillibilité et de la prédestination du prophète. Elle est, d'une certaine façon, le scellement actuel d'un savoir de jadis, oublié ou non transmis. Une tradition conservée chez Buḫārī compare le sceau des prophètes à la brique qui manque à la maison pour qu'elle soit achevée[13].

Le point d'aboutissement historique de la prophétologie manichéenne est connu, aussi bien que son point de départ. Elle servit de relais à la pénétration des idées judéochrétiennes en islam. En revanche,

[11] G. Monnot, *ibid.*, p. 661, n. 42.

[12] Tardieu (1981), p. 480–481.

[13] Al-Buḫārī, *Ṣaḥīḥ*, LXI 18, 2, t. 2/2, p. 162–163 = Houdas-Marçais (1903), t. 2, p. 548.

le mécanisme même de la fonction prophétique reste inexpliqué. Un enseignement oral de Mani, conservé dans le *Kephalaion* LVI, avance une théorie de la sensation et de la mise en dépôt de ses objets par la mémoire, théorie assez précise pour pouvoir constituer la base psycho-physiologique de la conception cosmologique et prophétologique du *tamieîon* (syr. *awṣrā*). En effet, les entrepôts cosmiques, avec leurs systèmes de surveillance et de contrôle, et les lieux de la mémoire prophétique, avec leurs critères d'authentification, apparaissent comme des transpositions en physique et en histoire de la représentation de l'*awṣrā* de la mémoire sensorielle, où sont emmagasinés, triés puis appréhendés les phénomènes extérieurs.

Dans le *Kephalaion* copte LVI, intitulé «Sur Saklas et ses puissances», Mani explique à ses disciples que le démiurge a placé dans le corps d'Adam et Eve des membres, externes et internes, destinés à l'activité sensorielle[14]. Chaque sensation perçue a un emplacement propre dans l'une des cases ou maisons internes, constituant les réservoirs (*n-tamion*), magasins (*n-apothēkē*), cavités (*n-spēlaion*) ou entrepôts (*n-šaf*) de la mémoire. «Chaque fois que (les sens) sont questionnés sur ce qui est entreposé dans leurs réservoirs internes, ceux-ci font sortir ce qui y est emmagasiné et le donnent au demandeur qui les réclame»[15]. L'agent de la transmission des souvenirs pour leur enregistrement et leur rappel est la faculté réflexive de chaque sens, appelée *enthúmēsis* en grec ou *sajne* en copte. Ainsi, par exemple, pour l'*enthúmēsis* de l'ouïe: «Chaque son qu'elle reçoit, bon ou mauvais, elle l'emmagasine et le dépose dans ses maisons et magasins intérieurs et les garde en (réserve) mille jours; si après mille jours on vient et questionne cette *enthúmēsis* sur le son qu'elle a entendu alors et emmagasiné dans ses réservoirs, elle entre aussitôt dans ses magasins, recherche, fouille, traque la parole (concernée) et la fait sortir de l'endroit où elle a été primitivement déposée, lequel est son lieu de conservation»[16].

Un processus analogue est décrit pour l'odorat, la vue, le goût et le toucher. Le cinq facultés reflexives des sens sont aux ordres d'une *enthúmēsis* générale, appelée «*enthúmēsis* du cœur» (p. 140, 16), dont le rôle est d'apprécier l'opportunité de tel enregistrement ou de tel rappel. Les fonctions respectives des *enthúmēsis* particulières et de l'*enthúmēsis* du cœur sont comparées à l'état-major impérial, au cours duquel les généraux (*n-stratēlatēs*) reçoivent du roi «le conseil (*sumboulía*) et l'avis (*gnṓmē*) qui fixent leur conduite»[17]. Le texte manichéen utilise aussi

[14] *Keph.* LVI, p. 138, 20–22.
[15] *Id.*, p. 138, 26–29.
[16] *Id.*, p. 139, 16–24.
[17] *Id.*, p. 140, 22–26.

dans ce but l'image de l'intendant général du palais, maître du cellier impérial[18].

Un autre enseignement de Mani, conservé dans le même *Kephalaion* LVI, compare la mémoire sensorielle à un camp militaire compartimenté, doté vers l'extérieur de postes de garde et de tours de défense. Des sentinelles et gardiens sont préposés aux pênes et verrous des portes du camp: «Celui qui fait partie de leur cité, lequel est un de leurs concitoyens (*šbr-sumpolitēs*), et leur compatriote, ils lui ouvrent la porte et l'introduisent volontiers. Par contre, l'étranger qui vient, ils l'empêchent (d'entrer) et le laissent se tenir à la porte, sans lui permettre de pénétrer»[19]. Le même *Kephalaion* développe longuement la métaphore des portes appliquée aux sens[20]. Le fragment moyen-perse M2 attestant la présence dans l'ouvrage de Mani, intitulé le *Trésor*, d'une section relative à la sensation et ayant pour titre: «Regroupement des portes»[21], pourrait autoriser à considérer cet ouvrage comme le point de départ de l'exposé sur les *tamieîa* (syr. *awṣrē*) connu par le *Kephalaion* LVI. Quant à l'utilisation de la métaphore des portes elle-même, elle appartient par son origine à la gnomologie grecque[22].

Réalité du corps humain, le *tamieîon* de la mémoire sensorielle est inhérent au grand corps du monde, dans la terre de ténèbre ou dans celle de la lumière. «De même que le corps de l'homme», est-il déclaré dans le *Kephalaion* LIII, «possède en lui des membres nombreux, la terre de ténèbre a (en elle) des réservoirs . . . rattachés au grand sommet du corps», qui est la tête[23]. Le détail de ces *tamieîa* au nombre de cinq comme ceux du microsome corporel, est fourni par le *Kephalaion* VI[24]. Univers où rien n'est laissé au hasard, tout y est cloisonné, hiérarchisé. Il en est de même dans la terre de la lumière, décrite dans une lettre de Mani dont quelques fragments en latin sont conservés dans le *Contra epistulam fundamenti* d'Augustin. Transposition à la cour céleste du cérémonial de la cour impériale sassanide, chacun des douze membres de cette terre de la lumière possède, enfermés en lui-même,

[18] *kellaritēs* (p. 140, 27), littéralement: «celui qui a la garde de la *cella*», lat. *cellarita*.

[19] *Id.*, p. 141, 21–25; l'utilisation de métaphores militaires (citadelle, poste de sentinelles) se trouve aussi dans la physiologie platonicienne du *Timée*, 70 A 7; B 3.

[20] *Id.*, p. 142, 2–31.

[21] Henning (1977), p. 201–203 = Boyce (1975), p. 41–42.

[22] Stobée, *Eclogae*, III 6, 17, t. 3, p. 284, 13–17 Hense; autres témoignages cités dans l'*Annuaire de l'Ecole pratique des hautes études. Sciences religieuses*, t. 92 (1983–84), p. 361.

[23] *Keph.* LIII, p. 129, 28–130, 1.

[24] *Keph.* VI, en particulier p. 30, 17–31, 7.

«des milliers de *thesauri* (correspondant latin des *tamieia*) innombrables et sans mesure[25]».

La représentation du microsome et du macrosome comme assemblage de *tamieia* a un corollaire dans l'histoire de l'humanité. Le réservoir est, cette fois-ci, le livre comme lieu de la mémoire historique des interventions divines. Dans le cas des prophètes non auteurs eux-mêmes de révélations écrites, comme Bouddha, Zoroastre et Jésus, ce sont leurs disciples respectifs qui se chargèrent de consigner par écrit un livre de souvenirs. Ainsi le Bouddha, venu «prêcher la connaissance et la sagesse innombrable, élire ses Eglises, et réaliser leur achèvement par la révélation de l'espoir, n'a pas écrit sa sagesse en livre. Mais ses disciples, qui vinrent après lui, se souvinrent de quelque chose de la sagesse qu'ils avaient entendue de Bouddha et le mirent par écrit»[26]. L'explication que Mani donne de cette absence de livres de sagesse de la part des trois «pères de la justice» (p. 8, 7) eux-mêmes, Bouddha, Zoroastre et Jésus, est «qu'ils savaient que leur justice et leur Eglise disparaîtraient du monde. C'est pourquoi ils n'ont pas écrit» (p. 8, 9–10).

Les communautés fondées par les pères de la justice n'ont pas pour elles la promesse d'éternité. Leur caducité vient de ce que les destinataires de la prophétie sont limités à un peuple ou à une région du monde, ainsi que le mentionnait le fragment du *Šābuhragān* rapporté par al-Bīrūnī: l'Inde, la Perse, Byzance. La promesse d'éternité est accordée seulement à la prophétie qui a pour destinataire l'humanité entière et pour auteur le prophète lui-même. Le *Codex manichéen de Cologne* cite cinq exemples de ce type de révélation, tirés des *Apocalypses* d'Adam, Seth, Enos, Sem et Hénoch[27]. «Chacun (de ces prophètes), selon le temps et le cours de son apostolat, a dit et écrit pour mémoire», *pròs hupomnēmatismón* (p. 48, 13), le contenu de ses visions et comment celles-ci se produisirent. Chaque mise par écrit d'une intervention divine enrichit la mémoire de l'humanité d'un réservoir supplémentaire où il suffira de puiser le moment venu. Ce savoir est ancien, puisque les prophètes de l'humanité appartiennent aux origines des temps. Il sera oublié dans le cours de l'histoire des peuples mais redécouvert au terme de l'histoire par le dernier prophète, en l'occurrence Mani. Son titre de «sceau de la prophétie» dit bien sa capacité à clore la série des manifestations divines, en écrivant lui-même sa prophétie (Mani auteur) et en fondant son apostolat sur le mémorial

[25] Augustin, *Contra epistulam fundamenti,* 13, édition du *Corpus scriptorum ecclesiasticorum latinorum,* t. 25/1, Vienne, 1891, p. 209, 19–20 Zycha.

[26] *Kephalaia,* prologue, p. 8, 1–7.

[27] *CMC* 48, 8–60, 12; Henrichs-Koenen (1975), p. 48–60.

des premiers prophètes, non marqués par l'ethnocentrisme (Mani apôtre).

La saisie du contenu des anciennes révélations apparaît, de ce fait, comme l'acte fondateur de la communauté nouvelle étendue à l'*oikouménē* entière. Le *Kephalaion* I montre bien la double activité du sceau des prophètes, à la fois comme collecteur des «mystères» oubliés, jadis enregistrés dans les apocalypses des prophètes de l'humanité, et comme fondateur des Eglises où ces mystères seront célébrés et commémorés[28]. Pour «élire», c'est-à-dire fonder, la communauté présente et à venir, le prophète se tourne d'abord vers le passé pour interroger, telle l'*enthúmēsis* de sens, les réservoirs de la mémoire écrite. C'est toujours par retour en arrière dans le magasin de mémoire des révélations antérieures que la prophète prend acte de sa fonction présente de fondateur d'une communauté. Il récapitule par sa fonction les deux temps du travail de la mémoire: conservation au-dedans et reproduction au-dehors, *sōtēría* et *probolḗ*[29]. Par lui, le savoir acquis des prophètes antérieurs est clos, achevé, scellé.

D'après la tradition musulmane, ce scellement se voyait sur le corps de Muḥammad, placé entre ses omoplates, c'est-à-dire derrière lui, puisque le sceau, empreinte laissée sur le corps du Prophète enfant par l'anneau de l'ange[30], est achèvement et récapitulation d'un savoir divin mémorisé. Il ne peut s'agir, en conséquence, que d'une localisation correspondant à l'enfouissement des révélations dans la mémoire du prophète. Dans le cas de Mani, le sceau n'est pas marqué par une cicatrice corporelle. Les anges n'ont pas fait intrusion en lui pour lui arracher le cœur et les intestins, comme cela aurait eu lieu pour Muḥammad. Ils lui apparaissent seulement, l'enlèvent dans les hauteurs et l'«éduquent» en lui transmettant ce dont il aura à se souvenir un jour mais que, pour l'instant, il conserve «en silence»[31]. Le sceau concerne, cette fois, la psychologie et la mémoire du voyant.

La primauté accordée à la tête dans le mécanisme physiologique général et dans la description de la mémoire sensorielle[32], exclut de localiser ailleurs que dans celle-ci l'organe de la mémoire, symbolisé par le sceau de la prophétie. Chez les chrétiens syriens, qui les transmirent aux Arabes, les spéculations sur la localisation des sens internes étaient, en fait, des idées grecques[33]. L'organe de la conservation des souvenirs et de leur rappel est décrit comme *tamieîon* chez

[28] *Keph.* I, p. 14, 29–15, 27; *CMC*, p. 71, 21–72, 7; Henrichs-Koenen (1975), p. 71–72.
[29] Porphyre, *Aphormai,* 15, p. 7, 1–2 Lamberz.
[30] Zotenberg (1869), p. 241–42.
[31] *CMC* 3, 2–4, 12; Henrichs-Koenen (1975), p. 5–7.
[32] *Keph.* XXXI, p. 84, 21–25.
[33] Bakoš (1948), p. 83 n. 64 et p. 85, n. 74.

Nemesius[34], son emplacement étant situé dans le ventricule postérieur du cerveau, ou cervelet, c'est-à-dire derrière la tête[35], à proximité de la partie de l'âme relevant de l'imagination (*phantasía*)[36]. Là, mémoire et sensation se trouvent étroitement imbriquées. Une telle théorie, développée pour elle-même dans le *Kephalaion* LVI, n'est pas une invention manichéenne. Pas plus d'ailleurs, que la métamorphose du sceau (*ẖātam* = gr. *sphragís*). Aristote utilise déjà cette dernière pour désigner l'empreinte produite par la sensation dans le *tamieîon*[37]. Arrivées chez les Syriens par les manuels de philosophie ou les doxographies, ces conceptions seront reprises dans la tradition manichéenne, où elles seront appliquées à la fonction du prophète.

## Bibliographie


Afšār-e Šīrāzī, A. 1956. *Mutūn-e ʿarabī va fārsī dar bāra-ye Mānī va mānaviyyat*. Téhéran: Našriye-ye anğoman-e Irānšenāsī.

Bakoš, J. 1948. *Psychologie de Grégoire Aboulfaradj dit Barhebraeus d'après la huitième base de l'ouvrage le Candélabre des sanctuaires*. Leyde: E.J. Brill.

Bauer, W. 1909. *Das Leben Jesus im Zeitalter der neutestamentlichen Apokryphen*. Tübingen: J.C.B. Mohr.

Boyce, M. 1975. *A Reader in Manichaean Middle Persian and Parthian*. Acta Iranica 9. Téhéran-Liège-Leyde: E.J. Brill.

Caetani, L. 1905. *Annali delle'Islām*, t.l. Milan: Casa Editrice Ulrico Hoepli.

Gimaret, D. et G. Monnot. 1986. *Al-Sharastânî. Livre des religions et des sectes. Ière partie*. Paris: Peeters/Unesco.

Guillaume, A. 1982. *The Life of Muḥammad. A Translation of Isḥāq's Sīrat Rasūl Allāh*. Oxford: Oxford University Press.

Henning, W.B. 1977. *Selected Papers. I*. Acta Iranica 14, Téhéran-Liège-Leyde: E.J. Brill.

Henrichs, A. et L. Koenen. 1975. Der Kölner Mani-Kodex. Edition der Seiten 1–72. *Zeitschrift für Papyrologie und Epigraphik* 19: 1–122.

Houdas, H. et W. Marçais. 1903–1914. *El-Bokhâri. Les traditions islamiques*. Paris: Leroux, 4 vol.

Tardieu, M. 1981. Al-ḥikma wa-l-ʿilm dans une citation de Mani chez al-Bīrūnī. *Annali dell'Istituto Orientale di Napoli* 41: 476–484.

Zotenberg, H. 1869. *Chronique de Tabari*. t. 2. Paris: Imprimerie Impériale.


[34] Nemesius d'Emèse, *De natura hominis*, 13, p. 202, 3–4 Matthaei; pareillement, pour Plutarque, *De liberis educandis*, 13 (= Moralia 9 E), la mémoire est le *tamieîon* de l'éducation. Voilà pourquoi, ajoute-t-il, les mythologistes ont fait de Mnémosyne la mère des Muses.

[35] Nemesius, *op. cit.*, p. 204, 3–8 Matthaei.

[36] Aristote, *De memoris*, 450 A 23.

[37] *Id.*, 450 A 32.

CARL-A. KELLER

# Le rôle de la mémoire dans les traditions mystiques de l'Inde

Qu'il me soit permis, pour commencer, de me livrer à quelques réflexions sur le thème de notre recherche: «La mémoire des religions». J'avoue que ce libellé me laisse quelque peu perplexe. Son sens me paraît tout de même assez clair: il s'agira d'examiner la manière dont une tradition religieuse se transmet d'une génération à l'autre: par des enseignements, des récitations, des célébrations de tout genre, des symboles, des gestes, des initiations, comme aussi par l'étude des textes anciens. Nous voulons comprendre comment une tradition se maintient, comment elle s'ouvre à des influences extérieures ou comment elle s'en défend, comment elle se transforme ou refuse toute atteinte à son intégrité. Tout cela me semble assez clair. Et pourtant, la métaphore de la «mémoire des religions» me gêne. Elle semble suggérer qu'un système religieux est une sorte de personne ou d'organisme vivant doué d'une mémoire: une grandeur quasi indépendante qui «se souvient», réfléchit et transmet ce qu'elle a retenu.

De prime abord cette idée est assez séduisante. Elle implique ou rappelle que la tradition précède toujours l'homme qui l'adopte et qui en vit. L'homme religieux, adepte d'une tradition religieuse, est toujours déterminé, dirigé, façonné par un ensemble de pratiques et de doctrines qui le dominent et auxquelles il ne se soustrait qu'avec peine. Dans ce sens, la figure de style qui personnifie une religion donnée et lui prête une mémoire correspond à une certaine réalité.

On peut tout de même se demander si un système religieux est vraiment un organisme indépendent, existant en dehors des êtres humains, portant, animant et contrôlant les personnes qui lui sont soumises. Si l'on prend la métaphore au sérieux, elle pourrait signifier que ce qui existe, ce qui vit vraiment et qui agit, ce n'est pas l'homme, ce n'est pas la personne individuelle ni un ensemble de personnes, mais le système, la tradition, le discours supra-personnel, et que ce qu'on appelle «personne», ou «individu» n'est en vérité qu'un lieu de passage traversé par la parole du système. On aboutirait ainsi à une sorte d'oblitération de l'individu, au profit de la toute-puissance du système.

J'exagère peut-être, mais je ne peux pas m'empêcher de subodorer dans cette manière de parler les vestiges d'une tendance philosophique qui a aussi marqué une certaine recherche en science des religions et dont les antécédents sont multiples – Durkheim, la linguistique, le structuralisme, certaines formes de psychanalyse post-freudienne –, qui place le collectif au-dessus de l'individu et qui exalte le discours social au détriment du discours singulier. N'a-t-on pas proclamé, il y a une dizaine d'années, et non sans grandiloquence, «la mort de l'individu»?

Mais cette époque est révolue. Sociologues et ethnologues redécouvrent la personne, l'individu. Ils ne nient certes pas le rôle de la société lors de la formation de l'identité individuelle – le nier serait nier l'évidence –, mais ils attirent avec énergie l'attention sur l'existence, au sein de la société, de l'homme singulier. Ils le font à partir de présupposés divers – preuve de la fécondité de l'approche. Tel ethnologue très compétent offre une longue méditation sur les rapports entre la «personne» – l'être humain qui, inséré dans une société, est «quelqu'un» en vertu de cette insertion même – et l'«individu» – l'être humain qui existe au-delà de cette insertion, qui de ce fait n'est «pas quelqu'un», qui est «no one», et qui affronte son entourage naturel et social de manière plus ou moins directe (Burridge, 1979). D'autres, usant de langages divers, essayent à leur tour d'élucider les rapports entre la «personne» (toujours comprise comme l'être humain incorporé dans une société) et l'individu ou le «moi» (Carrithers/Collins/Lukes, 1985). D'autres encore, rejetant la dichotomie «personne/individu», tendant à abandonner le langage même qui l'annonce, s'efforcent de saisir la structure du «soi» ou du «même» en se référant aux concepts de plusieurs civilisations étudiées par des spécialistes; ils proposent ainsi des schémas permettant de saisir l'élaboration d'un «même» intégré: «the self has returned!» (Marsella/de Vos/Hsu, 1985). La personne, l'individu, le «soi» se retrouvent donc de nouveau au centre de l'intérêt des chercheurs.

Tenant compte de cela, revenons à notre thème. Les religions sont-elles vraiment des grandeurs supra-personnelles douées d'une mémoire? La «mémoire» d'une religion, est-elle autre chose que la mémoire des personnes qui la pratiquent? La transmission d'une tradition passe-t-elle par d'autres canaux que les gestes, les rites, les coutumes, les œuvres, les paroles des hommes et des femmes qui se considèrent comme les détenteurs ou les dépositaires de cette tradition? S'il y a «mémorisation» des éléments d'une tradition, celle-ci ne peut être que le fait de personnes individuelles qui grâce à leur «mémoire» sont en mesure de «mémoriser» ce qu'elles voient et entendent. Il n'y a de mémoire que de la personne individuelle, et c'est au travers des mémoires individuelles que le système religieux se perpétue. La «mémoire collective» ne vit que dans et par la mémoire des membres de la collectivité.

C'est la mémoire des exécutants qui est le dépositaire des règles régissant le *déroulement d'un rite* et qui en reproduit au fur et à mesure les moments successifs. C'est cette mémoire aussi qui en précise et conserve l'intention et la signification. La fixation par écrit d'une liturgie, la notation des prières et invocations à prononcer, l'indication écrite des attitudes corporelles à adopter, tout cela n'a qu'une seule fonction: suppléer aux défaillances de la mémoire des exécutants. Tant que la mémoire fonctionne, on peut se passer de l'écrit. L'écrit est toujours secondaire, voire même, en principe, facultatif. Quand les exécutants décident de modifier les gestes et les textes mémorisés, l'écrit suivra et sera à son tour modifié. Ce n'est que dans certains cas particuliers que l'écrit est investi d'un pouvoir de moniteur: lorsque la modification d'un rite est décidée par un supérieur qui n'a pas d'autres moyens pour communiquer ses options à ses subordonnés.

L'étude de la *transmission des mythes* aboutit à des conclusions analogues. Le mythe vit dans la mémoire des personnes qui le racontent et qui l'entendent: il ne fleurit jamais dans un vide, détaché de la communauté – c'est-à-dire d'un ensemble des personnes – qui l'accepte comme une référence essentielle. Là aussi, la rédaction écrite suit l'évolution du texte dans la mémoire des personnes: il n'existe jamais de «version officielle» d'un mythe qui aurait été rédigée au départ par une autorité compétente. La structure d'un même mythe indien, par exemple, varie d'une recension à l'autre – et ces recensions sont nombreuses! –, parce que les recensions écrites épousent de près l'évolution de la mentalité des conteurs.

Pour ce qui est des *autres constituants d'un système religieux* – symboles artistiques de tout genre, engagement personnel des fidèles, doctrines etc. –, ils perdent toute pertinence dès qu'ils cessent d'être intériorisés, c'est-à-dire acceptés de plein gré comme des moyens de communication avec des grandeurs «ultimes», par les membres de la communauté. Les symboles artistiques deviennent alors des monuments historiques, l'engagement personnel se porte sur d'autres modes d'expression, et les doctrines, même fixées par écrit, sombrent dans un sommeil d'où seule la curiosité de quelque chercheur désintéressé pourra les tirer.

Répétons-le: la «mémoire des religions», c'est la mémoire des hommes religieux. Ce fait justifie notre choix pour le présent exposé: nous ne parlerons pas de la «mémoire de l'hindouisme» mais de celle des êtres humains qui se disent adeptes de ce qu'il est convenu d'appeler (chez nous!) le «système hindouiste». Ce faisant, nous mettrons l'accent sur quelques réflexions philosophiques sur la mémoire, avant d'examiner le rôle de la mémoire dans les traditions mystiques.

Etant donné l'ampleur du sujet, nous nous proposons de l'aborder à travers l'analyse des principaux emplois de la racine sanscrite qui vient spontanément à l'esprit lorsqu'on parle de «mémoire» ou de «souvenir»: la racine *smṛ/smar*. Il est d'ailleurs nécessaire de préciser immédiatement que la langue sanscrite traditionnelle ne possède aucun équivalent du concept «mémoire», au sens d'une instance psychique qui fonctionnerait comme organe de l'acte du souvenir. Même les substantifs qui dérivent de la racine verbale n'expriment que l'acte lui-même[1].

## *I Généralités*

Comme nous le verrons par la suite, le verbe *smṛ/smar* peut se traduire de manière multiple: «réciter, rapporter, se représenter, penser intensément à, se souvenir» etc. En cherchant une signification de base, nous en sommes arrivé à l'hypothèse qu'elle pourrait être «établir une relation mentale avec des objets mentaux», *cette relation s'imposant au sujet avec l'évidence d'une réalité*. Les analyses philosophiques auxquelles les Indiens eux-mêmes se sont attaqués nous semblent confirmer cette hypothèse. Une autre confirmation nous est offerte par le fait que l'oubli se dit avec la même racine *smṛ/smar*, précédée simplement de la préposition *vi-* qui exprime la séparation, la division; *vi-smṛ,* «oublier», consiste donc dans la rupture d'une relation: le lien mental avec l'objet mental est coupé et l'objet disparaît de l'horizon de l'organe de connaissance.

Parmi les formations nominales qui dérivent de la racine verbale il convient d'en signaler au moins trois:

1. *smṛta:* le participe passé. Il est très souvent employé dans des textes didactiques, notamment lorsqu'on définit des termes techniques ou qu'on rapporte le détail d'un procédé rituel. On ajoute alors volontiers à l'énoncé de la définition ou du rite la formule *iti smṛtaḥ*, ou une tournure semblable: «c'est ainsi que la chose est connue», «ainsi est-il rapporté, ou mentionné». Il va sans dire que cette formule renvoie à une transmission orale du savoir. On sait par ailleurs qu'en Inde le savoir se transmettait effectivement par la mémorisation, sous la direction d'un gourou (qui avait lui-même acquis le savoir par la mémorisation), des grands textes de la tradition.

[1] Je n'ai pas connaissance d'une étude globale et monographique de la mémoire dans les traditions hindoues. Signalons, toutefois, Abegg (1945), notamment les pp. 56s et 89–91, et Chennakesavan (1960), index s.v. «memory», et en particulier les pp. 71–76 (analyse de la mémoire selon le système *nyāya*). Les études consacrées à des systèmes individuels mentionnent sporadiquement les idées concernant la mémoire ou le souvenir.

2. *smṛti:* un substantif formé à l'aide de l'afformante *-ti* qui permet de constituer des noms verbaux (cf. Whitney, 1913, p. 432). Le mot *smṛti* désigne donc «le fait de *smṛ/smar*», c'est-à-dire d'établir une relation mentale avec des objets mentaux. Donc: l'«évocation», le «souvenir», le «fait de mentionner ou de faire mémoire». Dans l'ensemble des traditions hindouistes, ce terme revêt une importance capitale: il désigne la transmission orale – et secondairement écrite – de tout le savoir post-védique: *smṛti*, c'est l'ensemble des connaissances philosophiques, théologiques, juridiques, mythologiques, qui organisent quelque peu le monstrueux foisonnement de ce qu'on nomme couramment l'«hindouisme».

Il n'est pas possible de discuter ici les avis divergeants concernant l'extension et l'évaluation de la *smṛti.* Au départ, le terme englobait probablement uniquement les sciences auxiliaires de l'interprétation du Véda: les *vedānga* (grammaire, prosodie, étymologie, astronomie etc.) et les commentaires. Ces sciences étaient considérés comme les constituants de la «tradition» (orale, pour commencer), et s'opposaient à *śruti*, à l'«audition» ou la Révélation. Cette opposition faisait dire à certaines écoles d'interprétation du Véda (*mīmāṁsā* et *advaïta*) que la tradition, *smṛti*, n'a d'autorité que dans la mesure où elle est explicitement dérivée de la Révélation, *śruti.* Toutefois, selon d'autres écoles, notamment celle des «logiciens» (*nyāya*), *śruti* et *smṛti* ont exactement la même valeur (cf. Biardeau, 1964, p. 125). Très tôt, d'autres sciences, notamment le droit, *dharmaśāstra*, accédèrent au rang de *smṛti.* Or, le «droit», *dharma*, est une réalité éternelle et immuable; on comprend donc aisément que le *dharmaśāstra*, bien que classé comme *smṛti*, ait été considéré, à l'instar du Véda, comme un savoir révélé. Le texte le plus important de la «science du *dharma*», la *Manusmṛti*, passe pour être révélé par le dieu Brahmā. – Enfin, l'immense masse des *Purāṇa* et *Āgama* ou *Tantra*, avec en tête l'épopée *Mahābhārata*, formant le gros de ce qu'on appelle *smṛti*, se présente comme un ensemble révélé. L'introduction classique d'un *Purāṇa*, par exemple, fait intervenir un narrateur, *sūta*, qui rapporte ce qu'un dieu a révélé à un autre dieu ou à un héros quasi divin. Par conséquent, la distinction entre le Véda, parole «révélée», et la *smṛti*, tradition humaine, devint rapidement caduque. En effet, la *smṛti* finit par se propager comme le «cinquième Véda» à côté des quatre officiellement reconnus (Gonda, 1960, p. 218). En fin de compte, toute parole religieuse sera une parole révélée: le gourou, source indispensable du discours religieux, est vénéré comme la présence du Divin ou de l'Absolu lui-même; cela étant, comment éviter de recevoir sa parole comme une parole révélée? – La différence entre *śruti* et *smṛti* ne concerne effectivement pas le degré d'autorité, mais l'extension ou la portée de l'autorité: le Véda (*śruti*) s'adresse à tous, alors que la *smṛti* intéresse en général uniquement telle école particulière (cf. Hoens, 1979, pp. 74s). L'extension limitée de l'autorité d'une *smṛti* s'explique par la grande variété de ses sources: traditions locales, élaborations individuelles de données plus anciennes etc.

Le terme *smṛti* est donc souvent utilisé pour désigner un corpus littéraire. Mais il garde toujours sa valeur de nom d'action. Preuve en soit le fait que le substantif est parfois remplacé, avec la même signification, par des formes verbales: *smaranti* (par exemple: *Brahma-Sūtra* II, 3, 47; III, 1, 14; IV, 1, 10; 2, 14), «on rapporte», ou *smaryate* (*Brahma-Sūtra* III, 1, 19), «il est rapporté». Les grands commentateurs des *Brahma-Sūtra*, Shankara et Rāmānuja, nous apprennent que ces termes renvoient au *Mahābhārata* (à la *Gītā* en particulier), aux *Purāṇa*, aux *Yoga-Sūtra*, à des textes de la science du *dharma*: on voit défiler la *smṛti* dans toute son étendue.

3. *smaraṇa*: également un nom d'action, formé à l'aide de l'afformante *-ana* (cf. Whithney, 1913, p. 426). Ce terme désigne essentiellement l'acte qui consiste à «se souvenir». On le rencontre très souvent dans les textes de la *bhakti*, de la dévotion amoureuse, et c'est là que nous allons l'étudier à notre tour. Mais avant de nous approcher des traditions mystiques, jetons un bref regard sur quelques enseignements philosophiques pour voir comment les penseurs ont compris le «souvenir» ou la «mémoire».

## *II Quelques analyses philosophiques*

Faute de temps, nous nous limiterons à l'étude de quelques textes émanant des traditions *sāmkhya/yoga* et *vedānta*. Ce sont d'ailleurs ces deux traditions qui sous-tendent presque toujours la pratique mystique ou qui débouchent elles-mêmes explicitement sur la mystique.

1. On connaît la définition du yoga par laquelle s'ouvrent les *Yoga-Sūtra*: *yogaś-citta-vṛtti-nirodhah*: «le yoga, c'est la réduction des modalités de *citta*, organe de la pensée, ou conscience discursive». Quelles sont les «modalités de la pensée discursive» qu'il s'agit de réduire? Les *Sūtra* en énumèrent cinq: «connaissance valide, connaissance erronée (*viparyaya*), l'acte de fantasmer ou d'imaginer, dormir et *smṛti*» (YS I, 6). *Smṛti* est donc – première constatation – une sorte d'affection de l'organe de la pensée ou de la conscience discursive que le yoga se propose de réduire – de «guérir», en un sens.

Or, voici la définition de *smṛti*: «Est appelée *smṛti:* le non-évanouissement d'un objet dont on a fait l'expérience antérieurement» (YS I, 11). Le terme *smṛti* concerne donc un objet mental, fruit d'une expérience, qui subsiste dans *citta*, organe de la pensée. Nous notons le lien que les *Sūtra* établissent entre une expérience (*anubhava*) et le «souvenir». La nature de ce lien est analysée de manière plus complète par le commentateur Vyāsa qui essaie d'expliciter le fonctionnement de *smṛti*. Selon Vyāsa, l'organe de la pensée (qu'il appelle *buddhi*) s'unissant à l'objet mental, produit une certaine «configuration» (*pratyaya*) de la conscience, laquelle configuration» provoque à son tour l'apparition de «facteurs formateurs» (*saṃskāra*) qui, eux, sont la cause immédiate de l'«acte de se souvenir», *smṛti*[2]. Vyāsa établit donc l'enchaînement suivant: *buddhi* + objet→«configuration»→*saṃskāra*→*smṛti*. Nous remarquons en tout premier lieu la présence des *saṃskāra*: ce sont eux, les «facteurs formateurs», qui conditionnent de manière directe l'acte du souvenir. La conjonction de *saṃskāra* et de *smṛti* est particulièrement significative. On sait en effet le rôle capital que ces «facteurs formateurs» jouent dans le processus de la réincarnation: les circonstances d'une nouvelle naissance sont déterminées par les *saṃskāra*. Nous reviendrons plus loin sur les connexions entre *saṃskāra*, *smṛti* et réincarnation. On constate par ailleurs que la série expérience (*anubhava*)→*saṃskāra*→*smṛti* est presque universellement admise comme exprimant une réalité.

Les *Yoga-Sūtra* eux-mêmes abordent également le thème de la réincarnation:

> «Malgré la discontinuité au niveau de la «naissance» (*jāti* = caste, classe sociale etc.), du pays et du temps, il y a continuité à cause de la concordance de *saṃskāra* et de *smṛti*» (YS IV, 9).

Cela veut dire que même là où l'on ne découvre aucun lien entre deux naissances successives qui sont disparates, voire inconciliables, par l'éloignement social, local et temporel, la continuité est malgré tout assurée par la coïncidence des *saṃskāra* et de *smṛti*, c'est-à-dire par l'activité des *saṃskāra*. Ici, le terme *smṛti* est déjà très proche de «nouvelle naissance dans des circonstances précises». Il ressort effectivement du commentaire de Vyāsa que les expériences passées laissent des traces sous la forme de *vāsanā*, de «relents» (on traduit généralement par «imprégnations») qui, eux, concordent avec les *saṃskāra* producteurs de *smṛti*. Cette dernière étant riche de relations réelles qui se manifestent lors de la naissance, la continuité d'une incarnation à celle qui la suit est garantie. Les *Yoga-Sūtra* ajoutent encore (YS IV, 21) que ce processus est individualisé, sinon il

[2] Il faut préciser que l'organe de la pensée ou conscience discursive est une entité matérielle qui de ce fait est susceptible de recevoir des «configurations».

débloucherait sur la «confusion des *smṛti*» (*smṛti-saṃkara*), ce qui entraînerait l'effondrement de l'ordre social.

C'est toujours l'organe de la pensée (*citta* ou *buddhi*) qui véhicule les *saṃskāra* producteurs de *smṛti*. La tradition upanishadique précise en outre que *smṛti* devient de plus en plus sûre au fur et à mesure que l'«être» (*sattva*) se purifie:

> «Par la pureté de la nourriture on obtient la pureté de l'être (*sattva-śuddhi*); par la pureté de l'être, le souvenir (*smṛti*) devient stable; par l'acquisition du souvenir, tous les nœuds se dissolvent» (*Chāndogya-Upanishad* VII, 26, 2).

Le terme *sattva* est ambigu. Shankara l'identifie à *antahkaraṇa*, l'«organe intérieur» dont *citta* fait partie, mais il désigne probablement (comme dans le bouddhisme) l'être tout entier. Les «nœuds» sont les contraintes du *karman* et de l'enchaînement au *saṃsāra*, à la succession des réincarnations. Le texte upanishadique met, lui aussi, le «souvenir» en relation avec le processus de réincarnation: devenu «stable», le souvenir libère de ce processus.

2. La tradition du *vedānta* ne contredit pas ce que nous avons constaté en étudiant les *Yoga-Sūtra*, tout en interprétant les données traditionnelles dans le sens de ses intuitions spécifiques. Shankara (700–750)[3] par exemple, estime qu'il est essentiel de souligner le fait que les processus de *smṛti*/*smaraṇa* ne se déroulent pas au niveau de l'Absolu (*ātman*/*brahman*), mais uniquement à celui de l'«organe intérieur» (*antaḥkaraṇa*). Son argumentation est très simple[4]: l'acte du souvenir établit toujours une relation entre un sujet et un objet. Or, le sujet ne peut pas se constituer en objet de lui-même, ce qui exclut la réalisation de *smṛti*, relation unissant un sujet et un objet, à l'intérieur du seul sujet: *smṛti* se rapporte à un objet, elle est *smartavya-viṣayā;* elle ne se rapporte pas au sujet, elle n'est pas *smartṛviṣayā* (US = *Upadeśa-Sāhasrī*, II, 2, 99). Par conséquent, *smṛti* est toujours une activité de l'organe intérieur, plus précisément, chez Shankara, de l'«organe mental» (*manas*). C'est lui qui, constitué et reconnu grâce à la «nescience» universelle (*avidyā*) qui est la cause de l'apparition du monde phénoménal, «se souvient et oublie»:

> «Le Soi (*ātman*), Conscience impérissable, ne se souvient de lui-même ni ne s'oublie. C'est uniquement l'organe mental (*manas*) qui se

[3] Les dates d'après Nakamura, cité par *Mayeda* (1973), p. 44.

[4] Par la suite, nous nous appuyons sur les deux parties, en vers (I) et en prose (II) de l'*Upadeśasāhasrī*, œuvre dont l'authenticité est actuellement admise; cf. notamment la longue et concluante démonstration de Mayeda (1976), pp. 22–64; cf. aussi Piantelli (1974), pp. 196s; ainsi que Paul Hacker, dans diverses publications.

souvient: c'est là un savoir qui naît à la suite de nescience» (US I, 14, 16).

Puisqu'il en est ainsi et qu'il n'y a de souvenir qu'au niveau du monde phénoménal, il est possible, à ce niveau-là, de «se souvenir» de l'Absolu et il est même souhaitable qu'on le fasse:

> «Si l'on désire atteindre à la libération, qu'on se souvienne alors constamment, dans ce monde, de l'Absolu qui est éternellement libéré» (*nityamuktam iha ātmānam mumukṣuś-cet sadā smaret*) (US I, 13, 11).

Selon Shankara, la mémoire/le souvenir est un instrument indispensable de la pensée lors de la communication langagière:

> «On saisit le sens d'un énoncé quand, grâce à la méthode ‹identité et différence›, on s'est *souvenu* du sens des mots entendus dans cet énoncé» (US I, 18, 176).

Si l'on veut comprendre un énoncé, il faut «se souvenir» du sens des mots qui le composent:

> «Nous avons évoqué le principe ‹identité et différence› en pensant au souvenir du sens des mots, car en l'absence de ce souvenir, personne ne peut connaître le sens d'un énoncé» (US I, 18, 178).

Mais qu'est-ce que la méthode «identité et différence» (*anvaya* et *vyatireka*) qui conduit au «souvenir du sens d'un mot»? Ni Shankara ni ses disciples immédiats ne définissent ces termes qu'il utilisent pourtant très volontiers. Les traducteurs modernes (Jagadānanda, 1943; Mayeda, 1979; Alston, 1959; je n'ai pas vu Alston, 1967), proposent «agreement and difference», ou «concordanze, discordanze» (Piantelli, 1974, p. 259). Il s'agit d'une opération logique qui procède par la définition de ce qui constitue le contenu permanent d'un mot, de son «identité», ainsi que de ce qui lui est opposé, de la «différence»[5].

Le «souvenir» a donc aussi des fonctions très terre à terre: faute de *smṛti*, la simple communication langagière deviendrait inopérante.

Les disciples et successeurs de Shankara attribuent, eux aussi, et à l'instar des *Yoga-Sūtra*, le «souvenir» à *citta*, organe de la pensée. La *Vedanta-paribhāshā*, un manuel assez tardif (env. 1550) mais très populaire, traite de *smṛti* dans le contexte de la «connaissance valide» induite par la «perception» (*pratyakṣa*). En citant un distique anonyme:

[5] Voici la paraphrase que propose Alston (1959), p. 79, des deux termes *anvaya* et *vyatireka*: «Reasoning according to the method of agreement and difference consists in noting from one's experience what things are constantly found in association and what things are variable». Dans le texte de Shankara, la portée des termes est plus limitée: il s'agit de se souvenir du contenu exact d'un mot, en l'occurrence du mot «TU» (*tvam*).

> «Organe mental (*manas*), intelligence (*buddhi*), facteur d'individuation (*ahaṃkāra*), conscience discursive (*citta*) constituent l'organe intérieur (*antaḥkaraṇa*). Doute, certitude, présomption et souvenir (*smṛti*) en sont les domaines d'action»,

l'auteur précise que l'organe intérieur est certes une unité en soi, qu'il est unitaire, mais qu'il fonctionne sous la forme de quatre modes d'action: organe mental, intelligence, facteur d'individuation et conscience discursive. Chacun de ces modes se distingue par une fonction spécifique: doute, certitude, présomption et «souvenir», cette dernière étant le propre de la conscience discursive, *citta*.

3. L'école de Shankara n'est pas la seule tradition advaïtine: il faut se garder d'oublier celle de Rāmānuja (probablement 1077–1157; cf. Carman, 1974, p. 27). Là aussi, on a réfléchi au phénomène de la mémoire. En nous référant à un manuel très connu présentant la pensée de cette école, la *Yatīndramatadīpikā* de Srī Nivāsa (XVIIe s.), nous remarquons qu'il décrit *smṛti* comme «une connaissance engendrée par des *saṃskāra*, qui à leur tour ont été engendrés par une expérience antérieure» (YMD I, 18). Comme nous l'avons déjà souligné, la série *anubhava*→*saṃskāra*→*smṛti* s'est entre-temps imposée comme la formalisation la plus convaincante de la genèse du souvenir. Citant un texte plus ancien, Nivāsa énumère les conditions qui font que les *saṃskāra* «se réveillent» et deviennent actifs (c'est-à-dire les conditions qui sont *saṃskāra-bodhakāḥ*):

> «Similitude, facteur invisible (*adṛṣṭa*), réflexion méditative (*cintā*) et ainsi de suite, activent la semence du souvenir» (YMD I, 18).

Par la suite, il explique dans le détail chacune des trois conditions qui «réveillent» les *saṃskāra*: la «similitude» ou ressemblance entre une personne qu'on rencontre, et une autre qu'on a rencontrée autrefois, «réveille», via les *saṃskāra* correspondants, le souvenir de la dernière. Grâce aux «facteurs invisibles» (*adṛṣṭa*), on se souvient subitement et spontanément d'un objet vu autrefois: le «facteur invisible» est une sorte d'impression inconsciente qui agit à l'improviste. Enfin, c'est par la «réflexion méditative» (*cintā*) qu'on évoque ou reproduit en soi-même l'image de la statue d'un dieu aperçue autrefois. Dans chaque cas, la *smṛti* établit un lien entre l'organe de la pensée (*citta*) et un objet mental, ce processus étant conditionné et dirigé par l'action des *saṃskāra* (YMD I, 19).

Etant donné que le souvenir remonte toujours à une expérience faite autrefois, Nivāsa le discute, à l'instar des penseurs shankariens, dans le cadre de l'analyse de la «connaissance valide» induite par la «perception» (*pratyakṣa*). Il ajoute encore que l'évocation d'un objet mental échoue quand, suite à un laps de temps trop étendu ou à la maladie, la force des *saṃskāra* s'affaiblit (YMD I, 20).

### *III Smṛti et réincarnation*

Nous avons déjà eu l'occasion d'attirer l'attention sur le rapport extrêmement étroit qui relie le «souvenir» et le thème de la réincarnation. Le «souvenir» est une sorte de nouvelle naissance de ce qu'on a vécu autrefois, et, vice versa, une nouvelle naissance, dans le cadre de la transmigration, est assimilable au «souvenir». «Souvenir» et réincarnation se recouvrent en grande partie. Cela est dû principalement au fait que le «souvenir», *smṛti*, n'est opératoire que grâce aux «facteurs formateurs», *saṃskāra*, qui sont à l'origine aussi bien de la mémoire des expériences passées que de la concrétisation de ces expériences à l'occasion d'une nouvelle naissance.

Dans certains textes indiens, la presque identité des circonstances d'une naissance et du souvenir des expériences faites dans des vies antérieures, est exprimée de manière assez suggestive:

> «Le nouveau-né éprouve de la joie, de la peur et du chagrin, en conséquence du souvenir des expériences répétées faites dans des vies antérieures» (*pūrva-abhyasta-smṛti-anubandhāt*) (*Nyāya-Sūtra* IIIa, 17; Ruben, 1928, p. 61).

Ce *sūtra* ne mentionne pas le cadre social dans lequel le nouveau-né voit la lumière du monde, mais puisque toutes ses expériences sont dues au «souvenir» des vies antérieures, on peut en conclure que ce cadre l'est aussi.

Le lien indissoluble qui unit *saṃskāra*, *smṛti* et nouvelle naissance permet au sujet d'exercer une influence décisive sur la nouvelle naissance qui l'attend. *Saṃskāra* et *smṛti* allant toujours de pair, on envisage en effet la possibilité d'agir sur la nature des *saṃskāra* au moyen d'un effort précis au niveau de la *smṛti*. Cette conviction est devenue populaire en particulier à la suite de quelques distiques importants de la Bhagavadgītā (VIII, 5–7).

Commençons par le distique qui expose la règle générale (VIII, 6):

> «Quelle que soit la condition dont on se souvient (ou: qu'on reproduit dans son intériorité: *yam yam vāpi smaran bhāvam*) lorsque, à la fin, on dépose le corps: c'est vers cette condition qu'on ira, étant toujours conditionné par cette condition» (*sadā tad-bhāva-bhāvitaḥ*).

La «condition» (*bhāva*), c'est la figure divine – ou humaine – qu'on crée ou recrée en soi, qu'on essaie d'«incarner»; cette figure sera celle dans laquelle on va naître de nouveau. Puisque c'est *smṛti*, le «rappel par le souvenir», qui permet de créer la figure en question, il faut comprendre que l'effort d'évocation réveille les *saṃskāra* correspondants et que ceux-ci déterminent la nouvelle naissance qui sera conforme à la figure dont on s'est «souvenu» au moment de la mort.

Par conséquent encore – et cela intéresse surtout l'homme profondément religieux qui ne désire qu'une chose: rejoindre enfin la Divinité suprême –, *smṛti* permettra de mettre fin à la chaîne des naissances dans ce monde ou dans d'autres mondes. Voici en effet ce qu'affirme le Dieu suprême, Krishna, l'Absolu:

> «Celui qui, à la fin de sa vie, se souvient de moi et qui s'en va ainsi, libéré du corps, celui-là atteint ma condition (c'est-à-dire mon être: *mad-bhāva*) – là-dessus, aucun doute.
>
> Par conséquent, souviens-toi de moi de manière répétée (*mām anu-smara*), à tout moment, et va livrer combat, en me consacrant et l'organe mental et l'intelligence (*manas* et *buddhi*). Alors, sans aucun doute, tu parviendras à moi» (*Gītā* VIII, 5 et 7).

En appliquant à ce texte les catégories développées par Nivāsa, on peut dire que le souvenir est ici activé par *cintā*, la «réflexion méditative», ou la visualisation intérieure de la forme de Krishna. Cette visualisation – un acte d'imagination créatrice – est le moyen de parvenir à la Divinité suprême, et celui qui y parvient n'est plus soumis aux processus de réincarnation.

Cette idée est longuement développée dans un passage du célèbre *Vishnu-Purāṇa*:

> L'acte de se souvenir de Krishna (*Kṛṣṇa-smaraṇa*) est supérieur à tous les rites de réparation (*prāyaścitta*), que ce soient des sacrifices ou des austérités.
>
> Si quelqu'un regrette un péché qu'il a commis, le rite réparateur le plus efficace est l'acte de se souvenir de Hari (*Hari-smaraṇa*).
>
> Eliminant le péché, un homme atteindra immédiatement Nārāyaṇa, s'il se livre jour et nuit, à l'aube, au crépuscule et à midi, au souvenir (de Nārāyaṇa).
>
> Par le souvenir de Vishnu (*Viṣṇu-smaraṇa*), la masse des détresses est entièrement éliminée et on atteint la délivrance finale *(mukti)*. L'arrivée au ciel, assurée par les *śrāddha* (sacrifices pour les défunts) doit être considérée comme un obstacle.
>
> Qui place son organe mental (*manas*) en Vāsudeva, tout en répétant des formules sacrées (*japa*) et en lui offrant un culte, récoltera des fruits supérieurs au statut du Roi des dieux.
>
> Qu'en est-il de la montée au ciel (après la mort) d'où il faudra redescendre? Et qu'en est-il de la prière «O Vāsudeva!» qui est la semence incomparable de la délivrance finale (*mukti*)?

C'est pourquoi un homme évite de descendre aux enfers (après la mort), tous les péchés étant supprimés, s'il remémore Vishnu (par *Viṣṇu-smaraṇa*) jour et nuit» (*Vishnu-Purāṇa* II, 6, 37–43).

On se rappelle que les noms Vishnu, Vāsudeva, Nārāyaṇa, Hari, Krishna, désignent tous la même Divinité suprême.

En scrutant ce passage, on retiendra surtout deux constatations. On remarque, tout d'abord, que le *Purāṇa* recommande de faire *smaraṇa*, «mémoire», non seulement au moyen de la visualisation de la divinité, mais en associant «souvenir» et *japa*, c'est-à-dire la répétition solennelle de son *mantra* ou de son nom. L'acte mental se double d'un acte oral (qui, lui aussi, implique une activité mentale). On note, ensuite, que le «souvenir», *smaraṇa*, met fin au *saṃsāra*, à la transmigration de celui qui le pratique, en le joignant définitivement à la Divinité suprême. On évite ainsi non seulement une nouvelle naissance dans ce monde ou, pire, dans l'un des enfers qui menacent toujours, mais aussi au ciel (espérance, encore aujourd'hui, de beaucoup d'hindous): même la montée au ciel est considérée comme un obstacle au salut véritable.

## *IV Smṛti, smaraṇa, et bhakti*

Le texte que nous venons de citer nous apprend que le «souvenir» est supérieur aux rites et aux austérités. Parfois aussi le souvenir est recommandé comme l'attitude intérieure adéquate pour une exécution valable des rites. Cela nous conduit tout naturellement à l'analyse de la *bhakti*, de la dévotion amoureuse: c'est en effet dans la *bhakti* que le «souvenir» religieux a trouvé son attache principale.

En parlant des techniques de la *bhakti*, on ne manquera jamais de faire allusion à un distique du *Bhāgavata-Purāṇa* où on les trouve toutes mentionnées. Prahlāda, modèle parfait de la *bhakti* vishnuïte (cf. Hacker, 1959), vient précisément d'étudier à fond les techniques de la *bhakti*. Fort de ses connaissances, il va expliquer à son père les neuf composantes ou modes de cette pratique: «Ecoute, louange, souvenir (*smaraṇa*), service des pieds de la divinité, culte régulier, hommage, attitude d'un serviteur, attitude d'un ami, consécration de sa propre personne – Si quelqu'un pratique cette nonuple *bhakti* pour Vishnu, ce sera certainement le fruit d'études au niveau suprême» (*Bhāgavata-Purāṇa* VII, 5, 25–26).

En discutant les implications de ces deux distiques, Adalbert Gail (1969, pp. 71ss) attire l'attention sur *Bhāgavata-Purāṇa* XI, 14, 27:

«La conscience discursive (*citta*) de celui qui «visualise» (*dhyāyataḥ*) des objets s'attache aux objets. Mais la conscience discursive de celui qui se souvient de moi (*mām anu-smarataḥ*) devient de même nature que moi-même»[6].

Dans son commentaire, Śrīdhara précise que celui qui «se souvient» de Vishnu/Krishna doit oublier toute autre chose. Il est obligé de choisir entre les deux termes de l'alternative: ou bien, «se souvenir» des objets du monde phénoménal, ou bien, «se souvenir» de Vishnu. S'engager dans la pratique de la *bhakti* implique qu'on s'adonne totalement au service de la Divinité suprême.

L'idée que Vishnu-smaraṇa exclut tout attachement à un objet qui ne soit pas Vishnu lui-même, est à la base de l'aspiration à l'amour total pour Krishna qui caractérise la *bhakti* de la tradition inaugurée par Chaitanya (1486–1533). Chez Chaitanya et ses successeurs, la *bhakti* devient un amour exclusif, passionné, exorbitant, radical, un amour qui bannit tout autre sentiment et qui oublie tout, à l'exception du seul Bien-Aimé. Pareille passion est appelée *samarthā*, «parfaitement instruite, capable» – capable surtout de donner pleine satisfaction au désir du Bien-Aimé. La passion *samarthā* s'oppose à la passion *samañjasā*, à celle «qui respecte les règles» (de la morale et de la bienséance). *Samarthā* est la passion d'une femme mariée qui se livre totalement à un amant, alors que *samañjasā* est l'amour d'une femme demeurée fidèle à son mari. Pour la plupart des adeptes de Chaitanya, c'est la *samarthā*, la passion infidèle, qui symbolise l'amour vrai pour Krishna: une femme possédée par la passion *samarthā* oublie tout, son mari, ses biens matériels, ses enfants, ses devoirs d'épouse, et jusqu'à son honneur de femme mariée, en faveur du seul «souvenir» de Krishna. Dans la mythologie krishnaïte, cette passion est représentée par Rādhā, femme mariée, et les autres vachères (*gopī*) de Vṛndāvana: ce sont elles qui ont tout «oublié» afin de ne penser qu'au bonheur de Krishna. La *samarthā* est infiniment supérieure à la *samañjasā* (qui certes aime Krishna mais qui pense également à son propre bonheur et à ses devoirs de femme mariée).

«‹C'est la passion *samarthā* qui, parfumée de l'oubli de toutes choses, est considérée comme la plus intense» (citation tirée d'une œuvre de Rūpa *Gosvāmin*, l'un des successeurs de Chaitanya).
Cela signifie que la *samarthā* est ainsi faite qu'elle oublie toutes choses, alors que cet oubli est absent chez la *samañjasā*.
Leur conscience liée par l'attachement à moi (Krishna), elles (=

[6] «Devient de même nature que moi-même»: *mayi pravilīyate*. Śrīdhara, le commentateur traditionnel, explique cette expression par *mad-ākāra-pariṇāmaḥ*, «transformation en ma propre forme», ce qui paraît préférable à la traduction de Gail (p. 72): «löst sich auf in mir». «Sich auflösen» dans la divinité n'est jamais l'idéal des fervents de la *bhakti*!

Rādhā et les vachères) ne connaissent ni leur propre personne, ni ce monde, ni l'autre monde› (= *Bhāgavata-Purāṇa* XI; 12, 12). Pareil oubli de toutes choses (*sarva-vismāraṇa*), la *samañjasā* ne le connaît pas» (*Sārasaṃgraha*, p. 18, 1.19 à p. 19, 1.3).

C'est donc la passion *samarthā*, amour total, inconditionnel, qui est le modèle de la *bhakti* des adeptes de Chaitanya. Car l'oubli de toutes choses, y compris de la propre personne du *bhakta*, a pour corollaire le seul «souvenir» de Krishna:

«Je rends hommage au Seigneur Mukunda (= Krishna): que sa forme divine accomplisse, grâce au seul souvenir, sa danse dans le cœur de la *samarthā*» (*Sārasaṃgraha*, p. 39, 11.12s).

Dans la grande tradition de la *bhakti*, le «souvenir» consiste essentiellement dans la répétition constante, mais de préférence silencieuse, du Nom de la divinité (cf. Tulpule, 1984, pp. 127–145: «The Name and its Remembrance»). La répétition peut être soutenue par l'usage du rosaire qui, servant à la pratique du «souvenir» (*smaraṇa*), s'appelle *smaraṇī* (Tulpule, 1984, p. 154). D'autre part, l'une des traditions de *bhakti* intense, la tradition Mahānubhāva qui est surtout implantée au Mahārāshtra, recommande un *smaraṇa* quadruple: qu'on se souvienne du Nom de la divinité, de sa forme (*mūrti*), de ses jeux (*līlā*) et de ses autres activités (*ceṣṭā*):

«Souvenez-vous de moi (Parameśvara = Krishna) tel que vous m'avez vu. Nom, *līlā* (actes spontanés), forme (*mūrti*), *ceṣṭā* (actes habituels). Souvenir, souvenir répété (*anu-smaraṇa*), souvenir une fois (par jour). Souvenez-vous de Parameśvara quand vous êtes couchés, quand vous êtes assis, et quand vous mangez».

Ce sont là quelques-unes des règles édictées par Chakradhara (XIIIe s.), le fondateur de la tradition de Mahānubhāva (Feldhaus, 1983, pp. 130 et 200).

Enfin, les *Bhakti-Sūtra* attribués à Sāṇḍilya, un manuel émanant peut-être de l'école de Nimbarka (XIIIe–XIVe s.?; cf. Farquhar, 1920, pp. 233s; Gonda, 1977, pp. 15–18) déclarent que *smṛti* et *kīrti* (= la louange), ainsi que les autres formes de *bhakti*, sont toutes résumées dans *ārtabhakti*, c'est-à-dire dans une *bhakti* qui est consciente de l'indignité de l'homme et de sa condition de pécheur; ces pratiques ne sont-elles pas la quintessence des rites de réparation (*prāyaścitta*) dont le pécheur a besoin? La *bhakti* est par excellence la dévotion qui opère la réparation de toutes les fautes commises (*Sāṇḍilya Bhakti-Sūtra* 76). En expliquant ce sūtra, le commentaire de Svapneśvara rappelle à juste titres les vers du *Vishnu-Purāṇa* que nous avons cités plus haut.

Il est également intéressant de noter que la *bhakti* peut se combiner avec la pratique du yoga de Patañjalī, c'est-à-dire du yoga «à huit membres»:

> «Ce qu'on nomme *bhaktiyoga* consiste en un courant ininterrompu de *smṛti* (donc: en un effort ininterrompu de maintenir la relation mentale avec la divinité), et il a huit membres: vie morale, refrènements, posture, contrôle de la respiration, retrait des sens de leurs objets, concentration, visualisation, extase» (*Yatīndra-mata-dīpikā* 7, 20).

Cela signifie que le *bhakta* peut pratiquer le yoga à huit membres de Patañjalī, mais il le fera en se souvenant constamment de la divinité. Cette possibilité est également prévue dans les *Yoga-Sūtra* qui précisent que l'extase, *samādhi*, peut être atteinte par *Iśvara-praṇidhāna*, la consécration à la divinité, ce que Vyāsa explique comme «une forme de *bhakti*» (*bhakti-viśeṣa*) (YS I, 23).

On est tenté de citer encore une fois les *Yoga-Sūtra* (I, 20) qui constatent qu'un certain type de yogi pratique la confiance (*śraddhā*), l'effort (*vīrya*), le «souvenir» (*smṛti*), l'«extase» (*samādhi*) et la «connaissance intuitive et parfaite» (*prajñā)* – une énumération qui rappelle irrésistiblement l'idéal mahāyāniste du Bodhisattva dont les «perfections» (*pāramitā*) coïncident en grande partie avec les caractéristiques du yogi des *Yoga-Sūtra*. La pensée bouddhiste se retrouve encore ailleurs dans les *Yoga-Sūtra*, notamment dans l'analyse des niveaux de *samādhi* ou *samāpatti* («coïncidence, unification»). On distingue en effet *savitarkā-samāpatti* et *nirvitarkā-samāpatti*, «unification avec ou sans argumentation». Ces notions se retrouvent dans le bouddhisme. Voici par exemple la définition de *nirvitarka-samāpatti:*

> «L'unification dépourvue d'argumentation survient quand *smṛti* est absolument pure, comme vide de matière (*rūpa*), et que ne se manifeste plus que son concept» (YS I, 43).

Le langage est ici très bouddhisant. On sait par ailleurs que *smṛti* (en pālī: *sati*), au sens de «prise de conscience totale de la présence de certains objets», est le terme clef de méditation bouddhiste.

Pour terminer, voici quelques citations empruntées à la *bhakti* en langue tamoule. Je les ajoute à mon exposé, non seulement parce que la *bhakti* tamoule était la première à s'exprimer dans l'une des langues du peuple indien, mais aussi à cause de son intérêt intrinsèque.

Le vocabulaire tamoul ne correspond pas absolument au vocabulaire sanscrit, mais il s'en approche sur bien des points. Il s'agit principalement de la racine verbale *ninei*, «penser à, imaginer, se représenter, se souvenir», et du substantif *nineippu* qui en est dérivé.

Nous notons que la langue tamoule ignore la possibilité d'exprimer l'«oubli» à l'aide de l'adjonction d'une préposition à la racine qui signifie «se souvenir» – comme c'est le cas en sanscrit –; en revanche, elle possède une forme verbale négative («ne pas penser à»), et, bien entendu, des verbes spécifiques pour dire l'absence de mémoire.

Pour exemplifier, je cite quelques passages du poète Māṇikkavācakar (VIIIe s. ) qui est probablement le plus personnel et le plus fascinant de tous les *bhakta* shivaïtes.

Ayant évoqué l'image de Shiva – le dieu est incomparable, orné de défenses de sanglier, porteur d'une peau de tigre et couvert de cendres –, Māṇikkavācakar ajoute:

> «Chaque fois que j'y pense, que j'y pense (ou: que je me le représente, que je me le représente), je n'en supporte pas l'effet: Ah! je vais m'évanouir!» (*Tiruvācakam* 3, 33).

Par le «souvenir», l'image de Shiva devient réelle, et puissante, à tel point que le fidèle succombe sous l'effet de sa splendeur et de sa majesté. Ce pouvoir extraordinaire de l'évocation mentale est mentionné dans un autre poème:

> «Quand je pense aux pieds (ou: que je me représente les pieds) de l'Etre suprême, du Père, de Celui qui me possède, je me liquéfie, frappé d'ivresse» (*Tiruvācakam* 5, 9).

Ailleurs, le poète/*bhakta* compare la parole et le souvenir:

> «Il n'est aucunement possible d'atteindre par la parole la limite vers laquelle va la pensée quand elle se fait souvenir» (TV 5, 301).

Il n'est pas possible d'exprimer Dieu par la parole ni de l'atteindre avec des mots, alors que la pensée, le souvenir – la relation mentale qu'il est possible d'établir avec lui – permet de s'associer à lui.

Se souvenir de Dieu, penser à lui, c'est alors l'activité la plus bienfaisante, la plus régénératrice, la plus divinement nourrissante:

> «Est-ce que je peux, moi qui ne suis rien, oublier Shankara (= Shiva) qui, quand on se souvient de lui, est ambroisie pour l'organe mental (*manas*)?» (TV 10, 25s).

La pratique du «souvenir» du dieu déclenche toutes les extériorisations imaginables d'un sentiment de joie et de félicité: le «souvenir» est chargé d'une telle force évocatrice et transformatrice que le *bhakta* se sent emporté par un courant irrésistible de folie amoureuse:

> «Moi, homme dépourvu de bonnes œuvres (donc condamné par du mauvais *karman*), je crie: ‹Gloire!›. En me souvenant de Celui qui est mon ambroisie, je l'exalte, je le magnifie, je m'écrie, vivifié en

moi-même: ‹Toi qui me possèdes, gratifie-moi de ton appel en me disant: Viens!›»

Le souvenir est, certes, en soi déjà efficace et rapproche le fidèle de son Seigneur. Mais Māṇikkavācakar sait aussi qu'en fin de compte tout est grâce; le souvenir du *bhakta* ne le sauve qu'à condition d'être porté par l'appel divin qui lui addresse l'invitation: «Viens!»

*Conclusion*

Cette dernière remarque, la référence à la grâce de Dieu, amène notre conclusion. Tout en se souvenant de Shiva, Māṇikkavācakar sait l'importance de la grâce. Car l'homme ne se souvient, hélas, pas toujours de Dieu. Māṇikkavācakar en est conscient et il va jusqu'à s'accuser de négligence:

«Je ne me souviens de rien qui soit juste. Je ne me suis pas mêlé à ceux qui pratiquent le souvenir. Accablé de péchés, j'ai erré de naissance à trépas. Mais le Seigneur qui est au-delà de tout, Lui qui est à moitié femme (figure de l'Ardhanārīśvara!), m'a dit: «Mon serviteur!» Lui, le Premier qui dure éternellement, m'a pris à son service et il m'a placé parmi ses serviteurs. C'est un miracle dont nous sommes les témoins!» (*Tiruvācakam* 26, 11.5–8).

Māṇikkavācakar s'accuse de négligence et d'autres péchés. Mais Shiva ne l'a pas oublié, et tout ce qu'il vit maintenant est grâce. En présence de cette grâce, le souvenir et l'oubli sont tous deux futiles et sans conséquence.

La même indifférence à l'égard de l'oubli et du souvenir s'exprime dans un résumé théorique de la *bhakti* shivaïte de l'Inde du Sud: dans «*La lampe qui éclaire la voie de la Vérité*» (*Unmei-neRi-viḻakkam*), de date incertaine. Arrivé au niveau pénultième de sa démarche mystique, au stade qui est appelé «union à Shiva» (*Shiva-yoga),* le *bhakta* s'écrie:

«Oubli, souvenir, connaissance salvifique, nourriture – je ne me soucie de rien. *Shiva-yoga*, c'est être uni à l'Etre Premier».

Et cela est suffisant! Les mystiques de l'Inde ont beaucoup de choses à nous apprendre sur le rôle de la mémoire et du souvenir, mais ils savent aussi relativiser la pertinence de leurs découvertes et de leurs expériences – parce qu'ils ne perdent jamais de vue la primauté du Divin, de l'Absolu.

## Bibliographie


Abegg, Emile. 1945. *Indische Psychologie*. Zürich: Rascher-Verlag.

Alston, A.J. 1959 (1971²). *The Realization of the Absolute – The «Naiṣkarmya siddhi» of Srī Sureśvara*. London: Shanti Sadan.

Alston, A.J. 1967. *Upadeśasāhasrī, Chapter Eighteen, edited with an English translation*. London.

*Bhāgavata-Purāṇa, with the Commentary of Srīdhara Svāmin*. 1983. Edited by Prof. J.L. Shastri. Delhi: Motilal Banarsidass.

Biardeau, Madeleine. 1964. *Théorie de la connaissance et philosophie de la parole dans le brahmanisme classique*. Paris/La Haye: Mouton.

Burridge, Kenelm. 1979. *Someone, No One – An Essay on Individuality*. Princeton: Princeton University Press.

Carman, John Braisted. 1974. *The Theology of Rāmānuja – An Essay in Interreligious Understanding*. New Haven and London: Yale University Press.

Carrithers, Michael, Steven Collins and Steven Lukes. 1985. *The Category of the Person – Anthropology, philosophy, history*. Cambridge: Cambridge University Press.

Chatterji, Jagadīsha Chandra. 1912. *The Hindu Realism – An Introduction to the Metaphysics of the Nyāya-Vaisheshika System of Philosophy*. Allahabad: The Indian Press.

Chennakesavan, Sarasvati. 1960. *The Concept of Mind in Indian Philosophy*. Bombay/Calcutta/New Delhi etc: Asia Publishing House.

Farquhar, J.N. 1920. *An Outline of the Religious Literature of India*. London: Humphrey Milford and Oxford University Press.

Feldhaus, Anne. 1983. *The Religious System of the Mahānubhāva Sect – The Mahānubhāva Sūtrapāṭha*. New Delhi: Manohar Publications.

Gail, Adalbert. 1969. *Bhakti im Bhāgavatapurāṇa – Religionsgeschichtliche Studien zur Idee der Gottesliebe in Kult und Mystik des Viṣṇuismus*. Wiesbaden: Harrassowitz.

Gonda, Jan. 1963. *Die Religionen Indiens – II Der jüngere Hinduismus*. Stuttgart: Kohlhammer.

Gonda, Jan. 1977. *Medieval Religious Literature in Sanskrit*. Wiesbaden: Harrassowitz.

Hacker, Paul. 1959. *Prahlāda – Werden und Wandlungen einer Idealgestalt* (Akademie der Wissenschaften und der Literatur in Mainz). Wiesbaden: Franz Steiner Verlag.

Hoens, Dirk Jan. 1979. «Tantric Transmission», in *Hindu Tantrism*. Edited by Sanjukta Gupta; Dirk Jan Hoens; Teun Goudriaan. Leiden: Brill.

Jagadānanda. 1943. *Upadeśasāhasrī – A Thousand Teachings, of Srī Sankarāchārya*. Mylaporé, Madras: Sri Ramakrishna Math.

Marsella, Anthony J. and George Devos and Francis L.K. Hsu. 1985. *Culture and Self – Asian and Western Perspectives*. New York and London: Travistock Publications.

Mayeda, Sengaku. 1973. *Saṅkara's Upadeśasāhasrī, Critically Edited with Introduction and Indices*. Tokyo: The Hokuseido Press.

Mayeda, Sengaku. 1979. *A Thousand Teachings: The Upadeśasāhasrī of Saṅkara, Translated with Introduction and Notes*. Tokyo: University of Tokyo Press.

Piantelli, Mario. 1974. *Saṅkara et la rinascitta del brāhmanesimo*. Fossano (Cuneo): Editrice Esperienze.

Ruben, Walter. 1928. *Die Nyāyasūtra's – Text, Übersetzung, Erläuterung und Glossar*. Leipzig: Deutsche Morgenländische Gesellschaft.

*Sārasaṅgrahah*. 1949. (*A Work on Gauḍīya Vaiṣṇavism*), edited by Krishnagopal Goswami Sastri. Calcutta: The University of Calcutta.

Tulpule, Shankar Gopal. 1984. *Mysticism in Medieval India*. Wiesbaden: Harrassowitz

*Vedāntaparibhāṣā*. 1971. *Vedāntaparibhāṣā, Edited with an English Translation* by S.S. Suryanarayana Sastri. Madras: The Adyar Library and Research Centre.

Whitney, William Dwight. 1986 (1913). *A Sanskrit Grammar*. Leipzig: Breitkopf und Härtel; Boston: Ginn & Company.

*Yatīndramatadīpikā*. 1949. *Yatīndramatadīpikā by Srīnivāsadāsa – English Translation and Notes* by Swāmi Ādidevānanda. Mylapore, Madras: Sri Ramakrishna Math.

CRISTINA ANNA SCHERRER-SCHAUB

# Quelques questions relatives à la mémoire dans le bouddhisme indien[1]

*mahāvaidyo mahājñānī sarvakleśa-cikitsakaḥ sattvānāṃ kleśaviddhyā-nāṃ śalyahartā niruttaraḥ*
*Grand médecin, Grand savant, guérissant toute plaie, ôtant la flèche aux êtres blessés par le poison des passions: Lui, le sans supérieur.*
Lalita-Vistara, *XXII. 71*[2]

## *Introduction*

Au début, tout au moins, le bouddhisme apparaît comme une doctrine pratique de salut. Fondant sa méthode sur l'observation expérimentale du monde phénoménal, sur la recherche des causes des phénomènes, sur la nature de ces différentes causes, le bouddhisme présente toute une série d'analogies avec la science médicale[3]. La maladie par exemple, est une des circonstances privilégiées qui amènent à constater le caractère éphémère de l'existence, lequel se manifeste d'ailleurs aussi par d'autres situations de détresse, telles les douleurs de la naissance, de la vieillesse et de la mort. Le futur Bouddha, la nuit qui précède l'acquisition de son Eveil (*bodhi*), expérimente dans toute son ampleur la douleur qui tourmente les êtres coulés depuis toujours dans la ronde des «naissances et morts», à savoir le monde de la transmigration (*saṃsāra*). A la suite de cette expérience, le futur Bouddha pratique une étiologie parfaite de la douleur qui l'amènera à trouver le remède. Connaissant les causes multiples qui conditionnent et entretiennent la douleur, il connaît en même temps la manière d'y mettre fin.

[1] Je remercie Monsieur Jean Hutter qui a eu la gentillesse de lire et corriger mon français.

[2] Le *Lalita-Vistara* ou «Développement des jeux» est un des récits sur la vie du Bouddha. Voir Foucaux 1884.

[3] Bien que le bouddhisme ait abondamment utilisé cette analogie, l'emprunt direct du bouddhisme à la science médicale indienne n'est pas prouvé, et la question reste controversée. Voir *Hōbōgirin* 1974, Fasc. III: s.v. BYŌ.

L'essence de son enseignement est condensée dans l'exposé des «quatre nobles vérités»[4]: le monde est douleur (*diagnostic*); la cause de cette douleur est la soif de vivre qui attache l'être à sa condition et le pousse indéfiniment dans le monde de la transmigration (*étiologie de la douleur*); l'abandon de la cause de la douleur est la délivrance (*absence de maladie*); le chemin est le *remède*. Ce dernier consiste en la pratique de la moralité (*śīla*), des recueillements (*samādhi*) et de la sagesse (*prajñā*)[5]. En respectant les défenses, le disciple acquiert une première maîtrise sur ses actes, très limitée, mais qui contribue néanmoins à l'affermir et à le préparer à la pratique de la méditation et, ensuite, à la vue des quatre nobles vérités.

Les écoles connaissent diverses classifications des pratiques concourant à l'acquisition de l'Eveil (*bodhi*). On parle d'«ailes de l'Eveil» et on les considère comme la «collection de tous les médicaments (*sarvabhaiṣajya-saṃsarga*), qui suffit pour guérir toutes les maladies (*vyādhi*) des êtres» (Lamotte, 1970: 1145). Parmi ces divers «médicaments» dont on se sert pour parvenir à l'Eveil, la mémoire (*smṛti*) est en bonne place. Elle figure dans la liste des cinq facultés nécessaires à la pratique du chemin, celles-ci étant dans l'ordre: la foi (*śraddhā*; pāli saddhā), l'énergie (*vīrya*, pāli viriyaṃ), la mémoire (ou attention, voir *infra* § 2; en sanscrit *smṛti*, en pāli sati), le recueillement (*samādhi*, pāli samādhi) et la sagesse (*prajñā*, pāli paññā).

## *Terminologie*

Le terme sanscrit *smṛti* (pāli sati) désigne dans le bouddhisme et au sens large la mémoire en tant que fonction psychologique. Il s'agit d'une mémoire active ou attention, se distinguant dans ce cas de la mémoire passive ou simple enregistrement d'un phénomène. *Smṛti*, f., est un dérivé de la racine SMṚ- (Mayrhofer 1976: 548–549), qui signifie «se souvenir, porter dans l'esprit, penser à, etc.» L'on trouve aussi assez souvent le terme *smaraṇa*, nt., désignant «la mémoire», «le fait de se rappeler un fait», et se distinguant finalement assez mal de *smṛti* (*Shabda kalpadrum*: 463a). Un second terme, dérivé lui aussi de la racine SMṚ-, est *anusmṛti*, dont le sens est assez proche de «réminiscence» (gr. anámnēsis).

[4] En sanscrit: *catvāry āryasatyāni*. Elles furent prêchées par le Bouddha, dans son premier sermon, à Bénarès.

[5] Ces trois pratiques constituent l'essentiel du chemin bouddhique. En réalité, la théorie des divers chemins est fort complexe. On trouvera un exposé concis et excellent dans: Lamotte 1976: 677–686.

## *§ 1 Pour parvenir à l'Eveil, le futur Bouddha fait appel à la mémoire et à la réminiscence*

Fermement résolu à mettre fin à la douleur des êtres, la nuit qui précède l'Eveil[6], le futur Bouddha s'assied sous un figuier de l'espèce «*pippala*», face au soleil levant, et entre en méditation. Il prépare la concentration de son esprit par une série d'exercices préliminaires[7], visant à obtenir la maîtrise de la pensée. Au cours de la troisième étape de ses exercices de méditation, il fait intervenir la mémoire (*smṛti*) et la pleine conscience (*saṃprajāna*). Par l'exercice de la mémoire «il tient» l'objet de méditation; par la pleine conscience il voit l'objet tel qu'il est[8]. Ainsi préparé par ces exercices, au cours des trois veilles de la nuit, le futur Bouddha acquiert trois sciences (*vidyā*) qui feront de lui un Bouddha. La première, celle de l'acquisition de l'œil «divin» (*divya-cakṣus*), lui permet de voir «les êtres transmigrant, renaissant; de bonne caste, de mauvaise caste, dans la bonne voie, dans la mauvaise voie, infimes, relevés, allant sous l'influence de leurs œuvres» (Foucaux 1884: 288), bref il découvre le mécanisme de la transmigration, mû par la force de l'acte (*karman*) et du fruit de l'acte, ou rétribution. A la deuxième veille de la nuit, le futur Bouddha se rappelle «exactement les nombreuses espèces de demeures antérieures de lui et des autres êtres, comme par exemple, une naissance, deux, trois, quatre, . . ., trente, . . ., cent naissances, un Koṭi[9] de naissances, . . ., jusqu'à un Kalpa[10] de destruction, un Kalpa de reproduction, . . .»[11]. Par cette science de «réminiscence des vies antérieures»[12], il opère une sorte d'anamnèse; loin de remonter le cours du temps pour en percevoir le commencement, le futur Bouddha élargit son domaine d'expérience. Il connaît les états de conscience qui ont présidé au choix de ses actes, et les effets de ces derniers. Par cet exercice il a une vision totale du mécanisme de la transmigration. En possession d'une expérience pour ainsi dire illimitée, il est seul en mesure de comprendre, par voie inductive, la loi

[6] En sanscrit: *bodhi*, de la racine BUDH-, «s'éveiller».

[7] Il s'agit d'une technique d'intériorisation en quatre étapes, le terme sanscrit étant *dhyāna* (pāli jhānaṃ), pratiquée aussi par des ascètes non bouddhistes.

[8] Le résultat étant celui d'être entièrement dans l'instant présent, sous son aspect «vrai». Dans le bouddhisme la connaissance vise plus une vérité qu'une réalité.

[9] *Koṭi* indique un nombre incommensurable, équivalent à 10 millions dans l'ancien système de numérotation indienne. Voir *Dictionnaire Sanskrit-Français:* s.v. *koṭi.*

[10] Un *kalpa*, traduit parfois par «éon», est une période de temps correspondant à la durée d'un univers en évolution, ou en involution. La scolastique connaît plusieurs sortes de *kalpa*, v. La Vallée Poussin 1971, T. II: 181.

[11] Allusion à la théorie des cycles cosmiques, v. *op. cit.* 182–186.

[12] Les récits des vies antérieures du Bouddha élaborent, en grande partie, des thèmes appartenant au folklore indien. Il s'agit de récits fabuleux à caractère didactique, les *Jātaka* dans le canon pāli, les *Avadānaśataka* dans le canon sanscrit.

qui régit l'ordre phénoménal. Son analyse s'affine: la douleur de la vieillesse, de la maladie, de la mort ont pour cause la naissance; celle-ci a pour cause l'acte d'appropriation, conditionné à son tour par la soif (*tṛṣṇā*), par le désir: dans le cas d'une naissance, l'union des parents, et ainsi de suite, il remonte vers des causes toujours plus lointaines pour aboutir enfin à la cause lointaine de la douleur, à savoir la nescience (*avidyā*) ou méconnaissance de la vraie nature des choses. Cette loi de causalité à douze membres[13], ou loi de la production par conditions des phénomènes, à la fois explique l'enchaînement des êtres et enseigne le moyen de la délivrance.

### *§ 2 La mémoire appliquée aux exercices de méditation*

La mémoire, ou attention à l'inspiration et à l'expiration (*ānāpana-smṛti*), est un exercice qui prépare l'ascète à une meilleure concentration, prélude à la vraie connaissance. L'ascète, après s'être assuré d'une position physique parfaitement détendue, les yeux fermés, porte son regard intérieur vers la respiration. Il en observe le rythme naturel. Il observe «le vent» expiré et le «vent» inspiré. Il se concentre toujours davantage, en comptant les mouvements d'expiration et d'inspiration de un jusqu'à dix. Il répète ce cycle jusqu'au moment où il en possède la maîtrise parfaite. La mémoire active (*smṛti*) veille à ce que ce compte soit régulier. Si l'ascète est distrait, intérieurement ou extérieurement, il doit reprendre le compte. La maîtrise consiste à savoir exactement ce que l'on fait, sans laisser aucune place au trouble tant intérieur qu'extérieur. Le rôle de la mémoire active dans cette sorte d'exercice est comparable à celui que nous tenons lors de la lecture d'un texte. Nous pouvons être dérangés par un état de malaise psycho-physique, par des soucis, par des bruits; à ce moment la concentration de notre pensée s'affaiblit, nous perdons notre maîtrise et la pensée se perd dans d'innombrables chemins. Néanmoins, tôt ou tard nous nous apercevons que notre lecture était purement automatique: les phrases ont défilé devant les yeux, mais nous ne savons pas ce que nous avons lu. Dans l'attention à la respiration, l'ascète doit «suivre l'air qui pénètre le corps jusqu'aux orteils et considérer les masses du corps

[13] En sanscrit *pratītya-samutpāda*. Sur le détail de cette loi, voir Lamotte 1976: 38–43. On l'appelle aussi «roue de la vie» (*bhava-cakra*). Elle est souvent représentée à l'entrée des lamaseries tibétaines. La plus ancienne représentation qui nous soit parvenue se trouve à Ajantā (Mahārāṣṭra occidental), et remonte à peu près au 6e siècle.

comme des perles enfilées sur le courant d'air; suivre l'air expulsé à une distance d'une coudée, jusqu'aux vents supérieurs du cosmos»[14].

La mémoire active ou attention est un instrument qui prépare la connaissance, un outil que l'ascète abandonne au moment où il a acquis la concentration de la pensée. Tant que l'ascète l'exerce, sa pensée est en mouvement; lorsque la mémoire active (*smṛti*) et la pleine conscience (*saṃprajāna*) ont cessé, l'ascète est concentré et sa pensée est immobile. Cette dernière étape de la méditation (*dhyāna*) s'opère en apnée: on entre en expirant et on sort en inspirant. Elle prépare à des exercices d'expérience d'états de conscience extrêmement subtils[15] que nous n'aurons pas à développer ici.

La mémoire active s'exerce aussi dans la méditation portant sur les autres objets. Partant en général d'objets grossiers (par exemple le corps), on s'achemine vers des objets de plus en plus ténus, aboutissant enfin à une méditation très subtile, qui donne accès à la vue des vérités telles qu'elles sont. Le Bouddha a enseigné quatre exercices de méditation, considérés eux-aussi comme des auxiliaires de l'Eveil et appelés «fixation de l'attention (*smṛti*) sur le corps (*kāya*), la sensation (*vedanā*), la pensée (*citta*) et sur un complexe de facteurs interdépendants, les *dharma*[16]». Par exemple l'ascète qui exerce la mémoire active ou attention au corps (*kāya-smṛtyupasthāna*), considère le corps «impur» à divers points de vue: impur quant à la naissance, à la semence, et ainsi de suite. L'impureté de la naissance nous amène ensuite à être attentif à l'impureté de la tête, des pieds, du ventre, . . .

[14] Ceci présuppose, de la part de l'ascète, une connaissance parfaite de la physiologie de la respiration et de l'ordre des divers étages du cosmos. Cf. La Vallée Poussin 1971, T. IV: 153–156. Un grand nombre de ces pratiques de méditation, dites aussi «pratiques yoguiques», remonte très probablement à une tradition antérieure au bouddhisme. Il faut noter, cependant, que l'ouvrage de base du système brahmanique connu sous le nom de Yoga-darśana, les «Aphorismes du Yoga» (*Yoga-sūtra*), se place aux premiers siècles de notre ère. Les emprunts des *Yoga-Sūtra* aux textes de scolastique bouddhique sont assez fréquents. L'étude des rapports entre les deux écoles faite par La Vallée Poussin garde toute sa valeur. Voir La Vallée Poussin 1936–37.

[15] Ces états correspondent à des «lieux» où sont tenacement «incrustées» les habitudes acquises par la force de nos actes. S'en débarasser n'est pas chose facile. Ces habitudes s'insinuent subrepticement et se cachent à la connaissance ordinaire. Pourtant elles sont le support des automatismes manifestes, tels par exemple l'amour, la haine, et autres passions. Pour illustrer ceci on peut se référer au cas extrême de la mémoire «brute» de certaines bactéries. Une mémoire que l'on suppose «non consciente», constitue néanmoins le support des automatismes de comportement, répondant au critère de «profitable» ou «non profitable» et assurant la survie de ces bactéries (Bunge 1980: 136). Le rôle de la discipline yoguique est justement celui d'exercer la maîtrise sur le choix des actes, en dehors des stimuli d'attraction, de répulsion et aussi du sentiment d'indifférence.

[16] La scolastique bouddhique connaît diverses classifications des phénomènes (*dharma*) qui concourent au maintien du devenir et dont le Bouddha a enseigné le caractère douloureux. Sur ces classifications, voir Lamotte 1976: 658–664.

Vue de l'intérieur, elle se manifeste dans l'estomac, les entrailles, les excréments, l'urine, etc. Finalement l'ascète considère tous les facteurs causaux qui forment le devenir impermanent, impur, douloureux et dépourvu d'existence intrinsèque.

## *§ 3 La mémoire: une fonction de la pensée*

Dans un traité de scolastique[17], nous trouvons la définition suivante: «La mémoire est la non-défaillance à l'égard de l'objet». Par elle, la pensée n'oublie pas l'objet, «elle le chérit pour ainsi dire». La mémoire est avec la sensation, la volition, la notion et autres, une modalité coexistante à tout moment de pensée. Le texte s'attache ici à décrire la fonction de la mémoire, abstraction faite de ses applications particulières que nous avons évoquées au sujet de la méditation. Si le pouvoir de produire la mémoire n'est pas paralysé par la maladie, le chagrin, le trouble mental, les charmes magiques, etc. (l'ascète combat ces perturbations par l'exercice de la méditation, cf. § 2), la mémoire apparaîtra dans les conditions suivantes:

1. Il faut que la pensée s'infléchisse vers l'objet; qu'il y ait acte d'attention vers l'objet.
2. Il faut que la pensée comporte une notion (cf. ci-dessus) semblable à l'objet, dans le cas où on se souvient en raison de la ressemblance. Par exemple: «Je me souviens du feu perçu jadis, parce que la notion de feu est placée dans ma pensée par la vue du feu présent».
3. Autre possibilité: il faut que la pensée comporte une notion en relation avec l'objet, dans le cas où on se souvient sans qu'il y ait ressemblance. Par exemple: «Je me souviens du feu par la vue de la fumée» [du point de vue psychologique ceci correspond à l'association des idées; du point de vue logique à l'inférence].
4. Ou alors: il faut que la pensée comporte une résolution ou une habitude: «Je me souviendrai de ceci à tel moment».
5. La pensée doit présenter la condition 1 dans tous les cas, et l'une ou l'autre des conditions 2 à 4. Elle doit en outre procéder de la notion d'un objet perçu auparavant. Sans ses conditions, la mémoire n'apparaîtra pas.

On objectera: «Si la pensée est impermanente, si elle périt d'instant en instant, comment le souvenir se transmettra-t-il? Comment la pensée se souviendra-t-elle d'un objet perçu auparavant? Comment reconnaîtra-t-elle l'objet semblable à celui qui a été perçu?»

[17] L'*Abhidharmakośa* de Vasubandhu, v. La Vallée Poussin 1971, T. V: 274–276.

A cette question, posée par ceux qui professent la croyance à un être transmigrant[18], Vasubandhu, l'auteur du Traité de scolastique, répond: «Nous disons qu'une pensée du passé, portant sur un certain objet, amène à l'existence une pensée autre, la pensée actuelle, capable de se souvenir de cet objet. En d'autres termes, une pensée de mémoire *naît* [est produite en raison] d'une pensée de vue [la perception, l'«expérience» antérieure de l'objet], comme le fruit *naît* de la graine, par la force du dernier stade de la transformation de la série. Par la suite la reconnaissance de l'objet *naît* en raison de la mémoire».

Les bouddhistes l'ont pressenti: l'examen de la mémoire, tout comme celui du mécanisme de la rétribution des actes, fait ressurgir brusquement la question de l'existence ou non d'un agent.

### *§ 4 Les questions relatives à l'existence d'un principe transmigrant ne conduisent pas à la délivrance*

En prenant de la distance par rapport aux textes, on pourrait penser que le monde de la transmigration, résultant des actes (*karman*) et de la rétribution, fonctionne comme un immense réservoir, lieu de conservation de la mémoire collective de tous les êtres. Mais en posant la question en ces termes, l'on présupposerait l'existence d'une entité permanente sous-jacente à l'impermanence du devenir. Or, malgré qu'il y ait en quelque sorte «mémoire» de l'acte sous forme de son fruit, cette «mémoire» n'a paradoxalement aucun support. Il n'y a pas de principe transmigrant qui soit responsable de susciter à un moment donné le souvenir d'un acte accompli antérieurement. Il n'y a pas non plus d'entité transcendante qui fonctionnerait en tant que rappel ou «mesure» de l'acte.

Dans une parabole restée célèbre, le Bouddha raconte à son disciple Mālunkyāputta, tout épris de problèmes métaphysiques, une petite histoire: «Lorsqu'un être est atteint d'une flèche empoisonnée, il est préférable de ne pas s'attarder sur des questions du genre «D'où la flèche est-elle partie?», «Qui l'a lancée?», etc. Il faut avant tout ôter la flèche qui l'a blessé et soigner le malheureux». Il va sans dire que cette mise en garde du Bouddha n'a pas empêché la scolastique bouddhique de discuter longuement et dès les débuts de la nature du principe transmigrant. Toutefois, à l'exception de deux écoles[19], les commentaires anciens s'accordent sur la thèse de l'inexistence d'une entité permanente, agent du devenir multiforme.

[18] Il s'agit des écoles Vātsīputrīya et Sammatīya, qui apparaissent à peu près vers les derniers siècles avant notre ère.

[19] *Idem.*

Le monde phénoménal résulte d'un complexe de facteurs psycho-physiques interdépendants[20], changeant sans cesse. Chaque moment, d'une durée infinitésimale, est la résultante de l'intersection de plusieurs facteurs. Les moments successifs sont en relation de cause à effet. Leur durée est plus qu'éphémère, puisqu'ils périssent en naissant. Ce que nous appelons «individu», et indiquons par le pronom «je» ou par le nom «Devadatta», n'est rien de plus qu'une désignation conventionnelle, comme lorsque je dis «char» pour indiquer l'ensemble composé des essieux, des roues, etc. Il n'y a pas véritablement d'individu qui «voyagerait» dans la transmigration. On trouve l'explication suivante: «De la flamme qui brûle une jungle on dit qu'elle voyage, bien qu'elle ne soit que des moments de flamme, parce que ceux-ci constituent une série; de même le concert des éléments [psycho-physiques que nous prenons faussement pour un moi] incessamment renouvelés reçoit, par métaphore, le nom d'être; supporté par la soif [, le désir d'existence et les passions], la série des éléments voyage dans la transmigration» (La Vallée Poussin 1971, T.V: 271).

Lorsque le Bouddha raconte ses vies antérieures et dit: «Aux temps passés, il y eut un maître nommé Sunetra, faiseur de traversée, qui avait renoncé au plaisir. Il avait plusieurs disciples, . . . Le maître Sunetra était moi-même», le Bouddha nous apprend que sans qu'il y ait un principe spirituel, les éléments qui constituent son «moi» actuel font partie de la même série que les éléments qui constituèrent Sunetra. De même on dit: «Ce feu est arrivé ici en brûlant» (*op. cit.*: 272). Et encore: «Tous ceux qui se sont souvenus, se souviennent ou se souviendront de leurs anciennes existences, ce souvenir porte seulement sur les éléments [qui constituent faussement un «moi»]». Ceux qui se souviennent de leurs anciennes existences ne voient pas un individu réel accomplissant telle et telle chose. Simplement en disant cela, ils ont en vue un moi de désignation, imaginé, «construit» par la pensée sur la base de ses composants interdépendants. La mémoire, nous l'avons vu, est fruit d'une activité mentale. Or la discipline ascétique vise la maîtrise parfaite de la pensée, parce que l'essentiel de l'acte qui nous lie à l'existence, réside dans la pensée. L'acte (*karman*) n'est vraiment tel que s'il est voulu, pensé. Un acte involontaire, aussi terrible soit-il, ne porte pas de fruit. Parvenu à la maîtrise de la pensée, l'ascète se délivre «comme un

[20] Une des classifications possibles (v. *supra* n. 16) de ces facteurs est celle en cinq agrégats (*skandha*): agrégat de la matière (*rūpa-skandha*), de la sensation (*vedanā*), de la notion (*saṃjña*) des formations (*saṃskāra*), à savoir les actes (*karman*), et de la connaissance (*vijñāna*). Le complexe formé par ces facteurs constitue dans son ensemble ce que nous appelons faussement un *individu*. Sur les *skandha*, voir Lamotte 1976: 30.

feu non entretenu». Quelque nom que l'on donne à cette délivrance, «extinction» (*nirvāṇa*), «sens ultime» (*paramārtha*), la mémoire n'y a pas accès.

## § 5 *Réminiscence des vies antérieures*

Le savoir qui reçoit le nom de «réminiscence des vies antérieures» (*pūrva-nivāsa-anusmṛti*) est un savoir d'ordre empirique. L'ascète (*yogin*) l'obtient au cours des exercices de méditation. Il prépare ce savoir en remontant les états successifs de son existence – et non pas les moments, car «s'il remontait d'instant en instant la mort viendrait avant qu'il ait remonté la moitié de sa vie». Il commence en méditant sur le caractère de la pensée qui vient de périr: agréable, désagréable, amitié, colère, etc. De cette pensée il remonte ensuite en considérant les états qui se sont succédés dans cette existence jusqu'à la pensée de la conception, jusqu'au moment où il se souvient d'une pensée précédant la conception[21]: à ce moment il possède le savoir de réminiscence des vies antérieures. Il s'agit d'un exercice qui peut être pratiqué par un grand nombre de personnes, plus ou moins avancées sur le chemin de l'Eveil. Mais seul le Bouddha en possède la maîtrise parfaite. Le fait de connaître les existences passées n'est pas encore une science (*vidyā*): cette dernière s'obtient lorsqu'on connaît aussi les causes et conditions des actes accomplis.

Cette sorte d'expérience ne donne pas accès à un plan transcendant, simplement elle contribue à élargir le champ de conscience. L'investigation se fait dans le but de sortir du moi. La réminiscence des vies antérieures, comme l'œil «divin» (voir les êtres mourant et

[21] Le moment qui précède la pensée de conception s'appelle «existence intermédiaire» (*antarā-bhava*). Ce moment s'intercale entre le moment de la mort et celui de la renaissance, et n'est pas compris parmi les destinées où vont renaître les êtres (destinée d'homme, d'animal, de trépassé, de dieu et de démon). Cette existence intercalaire est un moment de transition vers une nouvelle destinée. Pendant cette existence la pensée est, suivant les écoles, ou très ténue ou absente. Pour les écoles qui admettent que la pensée subsiste dans l'existence intermédiaire, le savoir de la réminiscence des vies antérieures est acquis lorsque l'ascète se souvient d'un moment de cette existence. Pour les autres, qui croient que la pensée est suspendue (et pour les écoles qui n'admettent pas l'existence intermédiaire), le savoir est acquis lorsqu'on se souvient d'un moment antérieur à l'existence intermédiaire (ou, antérieur à la naissance), à savoir le moment de la mort. Ceux que l'on appelle, assez improprement, «Livres des morts», comme c'est le cas pour le «Livre tibétain des morts» (en tibétain le titre abrégé est *bar do'i thos grol*, qui se prononce à peu près «bardo tö döl», et qui signifie litt. «de la délivrance par l'audition pendant l'existence intermédiaire»), sont des textes récités au moment de la mort et pendant une durée qui varie de 7 à 49 jours. Cette récitation peut aider à trouver le lieu de renaissance. Il s'agit en quelque sorte d'une tentative d'infléchir le mécanisme de la rétribution des actes.

naissant), l'oreille «divine» (entendre les sons de toute nature, éloignés ou rapprochés, «y compris ceux de taons, des moustiques, . . .») et autres pouvoirs, appartiennent à ce que les textes qualifient de «pouvoirs merveilleux» (*rddhi*) ou «super-savoirs». Ces exercices, et bien d'autres, sont le patrimoine commun de la culture indienne. Ils ont, dans le bouddhisme, le caractère d'instrument et non pas de fin. Loin de vouloir acquérir et exercer un pouvoir quelconque, le *yogin* vise plutôt la connaissance d'états de conscience non ordinaires. Nous sommes assez près, toute proportion gardée, de la problématique envisagée par les dernières recherches de la psychologie transpersonnelle (Metzner 1971).

## Bibliographie


Bunge, Mario. 1980. *The Mind-body Problem. A psychobiological Approach.* Oxford: Pergamon Press.

*Dictionnaire Sanskrit-Français,* par Stchoupak, Nitti et Renou. 1980 (4e tirage). Paris: Maisonneuve.

Foucaux, Philippe Edouard. 1884. *Lalita-Vistara.* Paris: Leroux.

*Hōbōgirin. Dictionnaire encyclopédique du bouddhisme d'après les sources chinoises et japonaises.* 1974, Fasc. III. Paris: Maisonneuve.

*Kośa.* Voir La Vallée Poussin 1971.

La Vallée Poussin, Louis de. 1936–37. Le bouddhisme et le Yoga de Patañjali. *Mélanges Chinois et Bouddhiques* 5: 223–242.

La Vallée Poussin, Louis de. 1971 (réimpr.: 9 ch. en 6 T.). *L'Abhidharmakośa de Vasubandhu.* Bruxelles: Institut Belge des Hautes Etudes Chinoises.

Lamotte, Etienne. 1970, T. III. *Le traité de la Grande Vertu de Sagesse de Nāgārjuna (Mahāprajñāpāramitāśāstra).* Louvain-La-Neuve: Institut Orientaliste.

Lamotte, Etienne. 1976. *Histoire du bouddhisme indien.* Louvain-La-Neuve: Institut Orientaliste.

Mayrhofer, Manfred. 1976, Bd. III. *Kurzgefasstes etymologisches Wörterbuch des Altindischen.* Heidelberg: Carl Winter.

Metzner, Ralph. 1971. *Maps of consciousness.* New York: Macmillan.

*Shabda kalpadrum,* by Raja Radha Kanta Deva. 1967, Part V. Varanasi: Chowkhamba Sanskrit Series Office.

## Ont collaboré à cet ouvrage

**Jean-Claude Basset,** pasteur; boursier du FNSRS (1983–1985) avec une thèse sur *le dialogue interreligieux: chance ou déchéance de la foi?* Engagé dans la rencontre avec les musulmans et auteur de plusieurs articles dans la *Revue de Théologie et de Philosophie* et les *Cahiers Protestants.*

**Philippe Borgeaud,** professeur ordinaire d'histoire des religions antiques à la Faculté des Lettres de l'Université de Genève. Ses travaux abordent aussi le problème du comparatisme. A publié notamment, dans la collection de l'Institut suisse de Rome, des *Recherches sur le dieu Pan* (1979).

**David Bouvier,** membre du Centre de recherches comparées sur les sociétés anciennes (Paris). Après un doctorat de 3e cycle à Paris sur la poésie homérique, continue ses recherches sur l'épopée avec l'aide du FNSRS. A publié plusieurs articles concernant l'histoire de la religion grecque dans des revues spécialisées.

**Carl-A. Keller,** ancien professeur ordinaire d'Ancien Testament, professeur honoraire de science des religions à l'Université de Lausanne. Champ d'activité privilégié: les traditions mystiques des grandes religions. Cf. *Communication avec l'Ultime,* Genève 1987.

**Jean Rudhardt,** professeur honoraire d'histoire des religions antiques à la Faculté des Lettres de l'Université de Genève. A publié, entre autres, *Notions fondamentales de la pensée religieuse et actes constitutifs du culte dans la Grèce classique,* Genève 1958; *Du mythe, de la religion grecque et de la compréhension d'autrui,* Genève 1981; *Le rôle d'Eros et d'Aphrodite dans les cosmogonies grecques,* Paris 1986.

**Cristina Anna Scherrer-Schaub,** doctorante en philosophie et philologie bouddhiques à l'Université de Lausanne, Section des Langues Orientales. Spécialiste en herméneutique bouddhique, elle étudie les *ms.* de Dunhuang. A publié notamment:
«Le terme yukti», dans *Etudes Asiatiques* 35,2 (1981); «Destins croisés en Asie centrale», dans *Etudes de Lettres* 1982, n° 3.

**Esther Starobinski-Safran,** chargée de cours à la Faculté des Lettres de L'Université de Genève. Champs d'intérêt: exégèse, mystique juive, divers courants de la philosophie juive. A publié, entre autres: Philon d'Alexandrie, *De fuga et inventione. Edition, traduction et commentaire,* Paris 1970; *Le Buisson et la Voix. Exégèse et pensée juive,* Paris 1987.

**Fritz Stolz,** Professeur d'histoire et de science des religions à la Faculté de Théologie de Zurich. S'intéresse particulièrement aux religions du Proche-Orient ancien et de la société industrielle contemporaine. Vient de publier *Grundzüge der Religionswissenschaft,* Göttingen 1988.

**Michel Tardieu,** Directeur d'études à l'Ecole pratique des hautes études (Paris), directeur du Centre d'études des religions du livre (CNRS), docteur ès lettres. Principales publications: *Trois mythes gnostiques* (Etudes augustiniennes, 1974); *Le Manichéisme* (Que sais-je, nº 1940, 1981); *Ecrits gnostiques. Codex de Berlin* (Paris 1984); *Introduction à la littérature gnostique,* en collaboration avec J.-D. Dubois (Cerf-CNRS, 1986).

# NOUVELLES COLLECTIONS THÉOLOGIQUES

*Publiées sous la direction de Marcel* FALLET *et Serge* MOLLA
*avec la collaboration de Jean* BAUBÉROT, *Marc* FAESSLER,
*Eric* FUCHS, *Pierre* GISEL, *Simon* JARGY, *Daniel* MARGUERAT,
*Henry* PERNET, *Albert* DE PURY, *Uli* RUEGG,
*Christos* YANNARAS *et Jean* ZUMSTEIN.

*Karl Barth.* Genèse et réception de sa théologie (P. GISEL, éd.)
François VOUGA, *Jésus et la Loi selon la tradition synoptique*
Paul RICŒUR, *Le Mal.* Un défi à la philosophie et à la théologie
Jean-Louis LEUBA, *Etudes barthiennes*
Friedrich SCHLEIERMACHER, *Herméneutique*
Jean ANSALDI, *Le dialogue pastoral*
Denis MÜLLER, *Réincarnation et foi chrétienne*
Piere PAROZ, *Foi et raison*
Eric FUCHS et Pierre-André STUCKI, *Au nom de l'Autre*
Jean BAUBÉROT, *Le retour des Huguenots*
Hubert BOST, *Babel.* Du texte au symbole
Gerhard LOHFINK, *Enfin je comprends la Bible*
Laurent GAGNEBIN, *Christianisme spirituel et christianisme social* (W. Monod)
Robert GRIMM, *Les couples non mariés*
*Se dire en vérité?* (J.-M. CHAPPUIS, éd.)
*Le défi du fondamentalisme islamique* (S. JARGY, éd.)
*Confessions et catéchismes de la foi réformée* (O. FATIO éd.)
Claus WESTERMANN, *Théologie de l'Ancien Testament*
Eduard LOHSE, *Théologie du Nouveau Testament*
Edmond JACOB, *Esaïe 1-12*
Christophe SENFT, *Jésus de Nazareth et Paul de Tarse*
Wilhelm VISCHER, *L'Ecriture et la Parole*
Samuel AMSLER, *Les Actes des prophètes*
*La narration* (P. BÜHLER, J-F. HABERMACHER, éd.)
André BORRELY et Max EUTIZI, *L'Œcuménisme spirituel*

Achevé d'imprimer
en mai mil neuf cent quatre-vingt-huit
sur les presses de l'Imprimerie
Schüler SA à Bienne